ESLAVOS
CONTOS POPULARES

Pandorga

Todos os direitos reservados | **Direção Editorial**
Copyright © 2021 by Editora Pandorga | Silvia Vasconcelos
Organização e tradução
Juliana Garcia
Produção Editorial
Equipe Editora Pandorga
Preparação e Revisao
Gabriel Lago
Capa e Projeto Gráfico
Lumiar Design

Texto de acordo com as normas do Novo Acordo Ortográfico da Língua Portuguesa
(Decreto Legislativo nº 54, de 1995)

DADOS INTERNACIONAIS DE CATALOGAÇÃO NA PUBLICAÇÃO (CIP)

C763   Contos Populares: Eslavos / vários autores ; organizado por Juliana
Garcia ; traduzido por Juliana Garcia. - 2. ed. - Cotia : Pandorga, 2021.
264 p. ; 14cm x 21cm.

Inclui índice.
ISBN: 978-65-5579-048-1

1. Literatura eslava. 2. Contos. 3. Mitologia. I. Garcia, Juliana. II.
Título.

CDD 891.8
.2021-4124   CDU 821.16

Elaborado por Vagner Rodolfo da Silva - CRB-8/9410

Índice para catálogo sistemático:
1. Literatura eslava 891.8
2. Literatura eslava 821.16

2021
Impresso No Brasil
Printed In Brazil
Direitos cedidos para esta edição à
EDITORA PANDORGA
Rod. Raposo Tavares, S/N - Bloco A Sala 333
CEP: 06.709-015
Lageadinho - Cotia - Sp
Tel. (11) 4612-6404

WWW.EDITORAPANDORGA.COM.BR

SUMÁRIO

1. Sobre os contos eslavos [7]
2. O garoto que falava com os pássaros [11]
3. O homem largo, o homem alto e o homem com olhos de fogo [19]
4. O pássaro de fogo [33]
5. Maria Morevna [49]
6. O anão de barba longa [71]
7. Sivka-Burka [87]
8. Lágrimas de pérolas [99]
9. A morada dos deuses I — Os dois irmãos [113]
10. A morada dos deuses II — O tempo e o rei dos elementos [121]
11. A morada dos deuses III — Os doze meses [129]
12. A história do príncipe Slugobyl; ou o cavaleiro invisível [141]
13. Kovlad I — O soberano do reino mineral [151]
14. Kovlad II — A criança perdida [161]
15. A princesa com cachos dourados [173]
16. A história da toalha de mesa que servia banquetes, da varinha vingativa, do cinto que se transformava em lago e do capacete terrível [189]

17. Os dois Ivans [211]

18. Vassilíssa, a bela [225]

19. Superstições eslavas [245]

20. O alfabeto cirílico [253]

Bibliografia [261]

SOBRE OS CONTOS ESLAVOS

Embora os contos de fadas possam parecer simples histórias para crianças, eles carregam muito mais significado cultural do que acreditamos. Os contos refletem as crenças de um povo, seus valores morais e, muitas vezes, sua incrível imaginação.

Os eslavos sempre foram grandes fãs de contos e histórias fantásticas. Desde muito pequenas, as crianças já estão em contato com os contos de fadas e, para os pais, ler essas histórias e familiarizar seus filhos a elas faz parte da jornada de criá-los.

O povo eslavo tenta, por meio dos contos, expressar sua percepção de nação, para instruir seus filhos nessa antiga sabedoria de vida, resolvendo, assim, questões vitais, morais, familiares, domésticas e de estado que consideram importantes. Os contos de fadas são construídos normalmente por arquétipos, ou seja, estruturas profundas do inconsciente coletivo, a fim de passar uma lição moral ou expressar os imperecíveis valores da sociedade.

De acordo com L. Yu Braude:

"Um conto é uma obra de prosa ficcional de um autor, baseada em fontes folclóricas ou inventada pelo próprio escritor, mas em qualquer caso sujeita à sua vontade; uma obra, predominantemente fantástica, que retrata as maravilhosas aventuras de personagens de contos de fadas tradicionais ou fictícios e, em alguns casos, dirigida a crianças; uma obra em que a mágica, o milagre desempenha o papel de fator formador da trama e ajuda a caracterizar os personagens."

Trata-se, portanto, de obras mágicas e alegóricas, cheias de simbologia e que, em geral, carregam lições morais baseadas no conceito de bem e mal, de certo e errado, que divertem ao mesmo tempo que instruem.

Paralelamente ao caráter mágico, os contos têm também um caráter social e prosaico forte e retratam, muitas vezes, a vida cotidiana de uma pessoa, glorificam os trabalhadores e punem os ociosos. Eles contam a história de confrontos entre ricos e pobres, fortes e fracos, cruéis e justos, o que reflete as ideias populares sobre verdade e justiça.

Por consistirem, originalmente, em narrativas orais, seus textos podem ter várias versões, uma vez que o narrador costumava fazer alterações durante a performance.

Existem muitos tesouros na literatura popular eslava. Neste livro, apresentaremos a você alguns dos contos mais famosos dessa região e esperamos que você consiga sentir um pouco da atmosfera mágica que os envolve.

CONTOS POPULARES

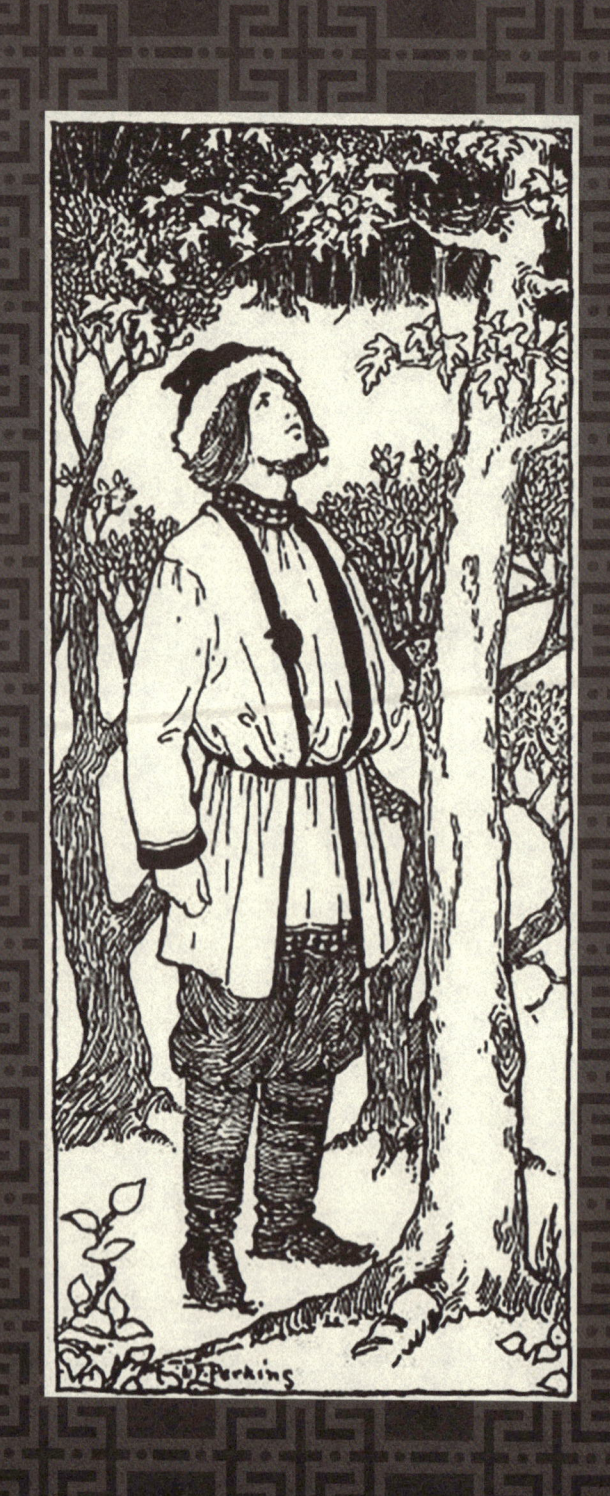

D.F. Perkins

O GAROTO QUE FALAVA COM OS PÁSSAROS

Há algum tempo na Rússia, vivia um comerciante e sua esposa. Seu único filho era um garoto de bom coração chamado Ivan. Esse garoto adorava ouvir o canto de um rouxinol que a família mantinha como animal de estimação, ou, alguns poderiam dizer, como prisioneiro, dentro de uma gaiola dourada.

"Qual o significado desse canto?", ele sempre se perguntava. "É tão adorável, mas tão triste."

Um dia, o pai ouviu Ivan indagando em voz alta e acrescentou:

— Sim, eu também gostaria muito de compreender esse belo canto. Eu daria metade de minha fortuna para quem pudesse ensinar-me a linguagem dos pássaros.

As palavras do pai causaram grande impacto em Ivan.

Pouco tempo depois, ele saiu para passear pelo bosque, quando, de repente, o tempo começou a mudar. A chuva veio forte, quase se transformando em neve e caindo em grandes gotas frias — *plop! plop! plop!* —, o que era muito desagradável. No meio dessa chuva torrencial, os ouvidos aguçados de Ivan captaram um som perturbador vindo dos galhos acima de sua cabeça. Pequenas vozes gritavam "piu! piu! piu!" em tom de lamento. Ele olhou para o alto e viu um ninho onde filhotes de pássaro muito frágeis moviam-se para cima e para baixo gritando debaixo da chuva fria. Ivan sentiu pena daquelas pequenas criaturas e, em vez de correr para casa, subiu na árvore e estendeu as abas de seu *kaftan* sobre o ninho para proteger os filhotes da chuva. O *kaftan* era um casaco que o pai lhe havia dado, bordado com fios de ouro. Certamente não era o tipo de roupa apropriada para subir em árvores. Ele esperou algum tempo até que a mãe pássaro retornasse. Quando ela viu que o gentil garoto havia salvado seus filhotes do frio intenso, ficou muito agradecida.

— Jovem rapaz — ela disse em bom russo —, você me prestou um grande favor. Ocorre que possuo poderes mágicos e posso lhe oferecer uma bela recompensa. Diga o que mais deseja e será seu."

O menino respondeu:

— Pássaro gracioso, por acaso há uma habilidade que eu adoraria possuir. Você poderia ensinar-me a linguagem dos pássaros?

— Certamente — assentiu a mãe-pássaro, e combinaram que ele a visitaria todos os dias durante um mês para que aprendesse as palavras, a gramática e os timbres dos pássaros. Felizmente, o menino tinha um bom ouvido para música, pois os pássaros se comunicam através do canto. Ele aprendeu bem as lições, fez sua lição de casa e, ao final de um mês, conseguia entender tudo o que os pássaros diziam uns aos outros.

Pouco tempo depois, Ivan sentou-se no sofá de sua casa, onde sempre costumava ficar para ouvir o rouxinol em sua gaiola dourada. Agora ele entendia o significado da bela canção do pássaro e sentia-se profundamente triste. Seus pais não puderam deixar de notar sua fisionomia triste e sua mãe perguntou:

— Querido Van-ooshka — (apelido carinhoso pelo qual ela o chamava) —, por que pesadas lágrimas escorrem pelo seu rosto? Acaso você está sofrendo por um amor não correspondido?

— Não, mãe, eu ainda sou jovem demais para amar. Eu aprendi a língua dos pássaros e agora entendo o significado do canto do nosso rouxinol de estimação, e é por isso que estou tão triste.

Seu pai ficou intrigado e disse:

— Bem, Ivan, conte-nos o significado do canto do nosso amado pássaro.

— Ele canta, querido pai — disse Ivan de maneira simples, ingênua e tola —, que um dia Ivan será um príncipe e seu pai será seu servo.

Os pais de Ivan não esperavam uma fala tão insolente e questionaram-se sobre o que havia acontecido com seu amado filho. Talvez ouvir tanto os pássaros o tivesse deixado com a mente perturbada. De fato, eles não confiavam mais nele. Pouco tempo depois, a mãe preparou um pouco de leite quente para Ivan e misturou-o com uma forte poção para dormir, que certamente o colocaria em um sono bastante profundo. Quando ele estava completamente adormecido e roncando alto, seus pais o carregaram para a praia e, à luz do luar, colocaram-no em um pequeno barco e empurraram-no para o mar. Eles pensaram que ele se afogaria e ninguém o saberia.

Mas não era o destino de Ivan afogar-se no mar. As correntes levaram o garoto adormecido em seu pequeno barco na direção de um navio. Era uma noite estrelada, e o vigia viu Ivan deitado em sua frágil embarcação, à mercê da próxima grande onda que certamente o lançaria na água. Ele chamou seus colegas marinheiros para ajudá-lo, e um deles usou uma corda para descer pela lateral do navio até o barco de Ivan, onde ele bateu no rosto do garoto até despertá-lo. Os marinheiros então puxaram os dois de volta para a segurança do convés. Dessa maneira, pela bondade da tripulação do navio, a vida de Ivan foi salva.

Na manhã seguinte, Ivan sentou-se no convés, envolto em um cobertor quente. Um bando de aves voava no alto, e ele esticou o pescoço para entender o que eles diziam. Isto é o que ele ouviu:

"Rápido, rápido, voe o mais rápido possível. Vá para a praia. Uma tempestade terrível está a caminho!"

O garoto tentou alertar os marinheiros sobre o que os pássaros diziam, e pediu que seguissem para o porto antes que a tempestade reduzisse o navio a escombros. Mas os marinheiros riram, pensando que o pobre rapaz devia ter tomado muito sol enquanto estava à deriva no mar.

Mas a tempestade chegou, e foi tão feroz quanto Ivan havia previsto, e o navio sofreu com as fortes pancadas do vento e das ondas, que causaram grande dano.

Alguns dias depois de a forte tempestade ter passado, um bando de cisnes sobrevoou o navio. Ivan ouviu o que eles estavam dizendo:

"Lá está um navio cheio de piratas que planejam fazer muitas maldades."

Ivan relatou o que ouvira ao capitão, que, desta vez, o levou a sério. Ele ordenou à tripulação que retornasse e seguisse para um porto seguro. O ligeiro navio pirata começou a persegui-los. Eles navegaram o mais rápido que puderam em direção ao porto, e o barco que transportava Ivan e os bons marinheiros chegou em segurança e bem a tempo.

Pelo que parecia, eles haviam chegado a uma cidade governada por um rei que estava extremamente perturbado por causa de três corvos. Esses pássaros barulhentos e nocivos estavam pousados no parapeito da janela de seu quarto e gritavam dia e noite. Os criados tentaram espantá-los com vassouras, e os soldados tentaram derrubá-los com flechas, mas sem sucesso.

Então o rei ofereceu uma recompensa — a mão de sua filha em casamento e metade de seu reino para quem pudesse livrá-lo daquele problema. Mas ele alertou que qualquer um que desperdiçasse seu tempo corria o risco de perder a cabeça.

Um pequeno pássaro contou a Ivan sobre o problema que perturbava o rei e ele entendeu que aquela seria uma oportunidade de ouro. Ele foi até o castelo e ofereceu seus serviços para solucionar a questão dos três corvos. O camareiro do rei mostrou-lhe a janela onde os pássaros pousavam e gritavam. Ivan ouviu o que eles estavam dizendo e disse ao camareiro:

— Existem três corvos, um pai corvo, uma mãe corvo e um filho corvo. A mãe e o pai estão buscando o divórcio. Eles vieram aqui para pedir ao rei que julgue a quem o filho deve seguir: a mãe ou o pai. Até que tenham recebido o julgamento sobre essa questão, eles não irão embora.

Quando o camareiro relatou o problema ao rei, ele ordenou: "O corvo filho deve ficar com sua mãe". Assim que o rei anunciou sua decisão, o pai corvo voou por conta própria com um mal-humorado "crás! crás!", e a mãe e o filho partiram em outra direção.

O rei ficou encantado que os corvos finalmente haviam saído do peitoril de sua janela. De bom grado, entregou a mão de sua filha mais nova em casamento ao garoto que entendia a linguagem secreta dos pássaros.

À medida que a fortuna de Ivan aumentava, a estrela de seu pai decaía. Sua esposa havia partido para um mundo melhor e, enquanto ele estava de luto, perdeu sua fortuna quando piratas atacaram o barco que carregava toda a sua mercadoria. O velho tornou-se um mendigo errante, dependente da bondade e generosidade de estranhos. Suas viagens o levaram ao castelo onde o príncipe Ivan estava morando feliz com sua princesa. Lá o velho veio diante do jovem príncipe e implorou por esmolas. Sua visão estava falhando, e ele não reconheceu que Sua Majestade não era outro senão seu próprio filho.

— Velho, o que posso fazer por você? — perguntou o príncipe Ivan.

— Seja gentil, deixe-me ficar aqui e trabalhar como um de seus servos — disse o velho. — No passado eu era rico, mas agora perdi tudo, minha querida esposa, meu filho honesto, minha fortuna e, finalmente, meu orgulho.

— Querido pai — disse Ivan —, você já duvidou do canto de um rouxinol, mas agora vê que minha interpretação era verdadeira.

A princípio, o velho ficou intrigado, depois atordoado e então assustado. Ajoelhou-se diante do filho e pediu perdão.

Mas riqueza e boa sorte não haviam mudado o caráter de Ivan. Ele era o mesmo garoto de bom coração que sempre foi. Ele desceu do trono para abraçar o pai com as palavras:

— Papai, não desejo nada além de amá-lo, confortá-lo e apoiá-lo na velhice.

E o príncipe Ivan foi fiel à sua palavra.

E essa é uma história tradicional na Rússia, a do garoto que falava com os pássaros!

O HOMEM LARGO, O HOMEM ALTO E O HOMEM COM OLHOS DE FOGO

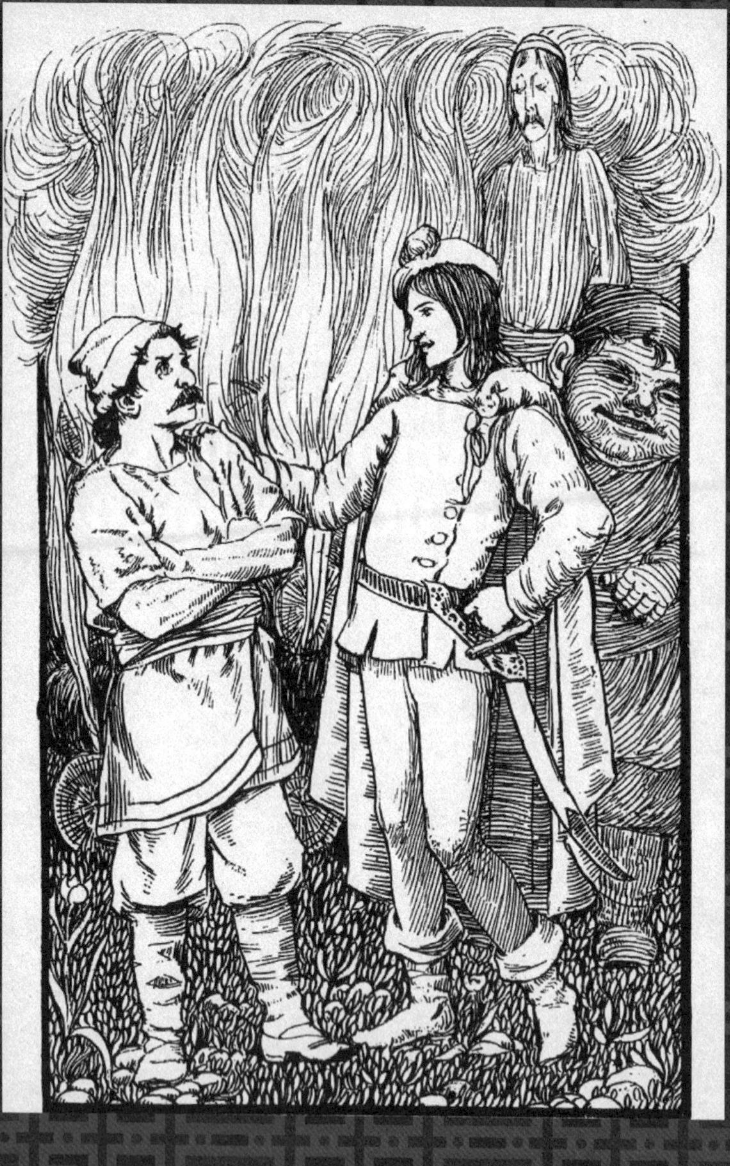

O monarca de certo reino tinha uma filha que era não apenas extremamente bonita, mas também notavelmente inteligente. Muitos reis e príncipes vieram de terras distantes na esperança de fazer dela sua esposa. Mas ela não se encantou com nenhum deles. Finalmente, foi proclamado que ela se casaria com aquele que, por três noites consecutivas, mantivesse uma vigilância tão rigorosa que ela não conseguisse escapar. Os que fracassassem teriam suas cabeças cortadas.

As notícias sobre a competição foram divulgadas por todas as partes do mundo. Muitos reis e príncipes tentaram, um após outro, mantê-la sob rigorosa vigilância. Mas todos perderam a vida na tentativa, pois não puderam impedir e, na verdade, nem sequer puderam ver a princesa fugir.

Matthias, príncipe de um reino próximo, ouviu falar sobre as mortes e resolveu participar da competição e vigiar a princesa por três noites. Ele era jovem, bonito como um cervo e corajoso como um falcão. Seu pai fez tudo o que pôde para dissuadi-lo de seu propósito: ele fez pedidos, orações, ameaças; na verdade, ele o proibiu de ir, mas em vão, já que nada poderia impedi-lo. O que o pobre pai poderia fazer? Cansado de discutir em vão, ele finalmente foi obrigado a consentir. Matthias encheu sua bolsa de ouro, prendeu bem a espada na cintura e partiu sozinho em busca da recompensa destinada aos mais corajosos.

No dia seguinte, caminhando pela estrada que o levaria a seu destino, ele encontrou um homem que mal conseguia mover uma perna a frente da outra.

— Para onde você está indo? — perguntou Matthias.

— Estou viajando por todo o mundo em busca da felicidade.

— Qual é o seu ofício?

— Não tenho profissão, mas posso fazer o que ninguém mais pode. Chamam-me Largo, porque tenho o poder de me expandir a tal tamanho que um regimento inteiro de soldados caberia dentro de mim.

Dizendo isso, ele se estufou até formar uma barricada que ia de um lado a outro da estrada.

— Bravo! — gritou Matthias, encantado com a demonstração daquela habilidade. — A propósito, você gostaria de vir comigo? Eu também estou viajando pelo mundo em busca da felicidade.

— Se não houver nada de errado em seu propósito, estou bastante disposto — respondeu Largo. E eles continuaram a viagem juntos.

Um pouco mais adiante, eles encontraram um homem muito esbelto, assustadoramente magro, alto e reto como um pórtico.

— Para onde você está indo, bom homem? — perguntou Matthias, cheio de curiosidade por sua estranha aparência.

— Estou viajando pelo mundo.

— Qual é o seu ofício?

— Não tenho profissão, mas sei de algo que todo mundo desconhece. Chamam-me Alto, e por uma boa razão, pois, sem tirar os pés do chão, sou capaz de me esticar até alcançar as nuvens. Quando caminho, posso percorrer um quilômetro e meio a cada passo.

Sem mais delongas, ele se alongou até sua cabeça desaparecer por entre as nuvens, ao mesmo tempo que dava passos de um quilômetro e meio de distância.

— Eu gosto disso, meu bom companheiro — disse Matthias. — Venha, você não gostaria de viajar conosco?

— Por que não? — respondeu ele. — Eu irei com vocês.

Então eles seguiram juntos. Ao atravessar uma floresta, viram um homem colocando troncos de árvores uns sobre os outros.

— O que você está tentando fazer? — perguntou Matthias, dirigindo-se a ele.

— Tenho Olhos de Fogo — disse ele — e estou construindo uma pilha aqui.

Dizendo isso, ele fixou os olhos flamejantes na madeira, e toda a pilha foi incendiada instantaneamente.

— Você é um homem muito inteligente e poderoso — disse Matthias. — Gostaria de juntar-se ao nosso grupo?

— Tudo bem, estou disposto a seguir com vocês.

Então os quatro partiram juntos. Matthias ficou muito feliz por ter encontrado companheiros tão talentosos e pagou por suas despesas generosamente, sem se queixar nem mesmo da enorme quantia que teve de dispender para comprar comida suficiente para alimentar Largo.

Depois de alguns dias, chegaram ao palácio da princesa. Matthias havia contado a eles o objetivo de sua jornada e prometeu a cada um uma generosa recompensa caso tivesse sucesso. Eles deram a ele sua palavra de que iriam ajudá-lo de todas as formas possíveis a cumprir a tarefa na qual todos os outros, até então, tinham falhado. O príncipe comprou para cada um deles um belo traje e, quando todos estavam apresentáveis, enviou-os para dizer ao rei, pai da princesa, que ele estava ali acompanhado de seus ajudantes para vigiar o quarto da princesa por três noites. Mas ele tomou muito cuidado para não dizer quem ele era, nem de onde havia vindo.

O rei os recebeu gentilmente e, depois de ouvir suas intenções, disse:

— Reflitam bem antes de se envolverem nesta tarefa, pois, se a princesa escapar, vocês terão de morrer.

— Duvidamos muito que ela escape de nós — responderam eles —, mas, aconteça o que acontecer, pretendemos fazer a tentativa, começando imediatamente.

— Meu dever era alertá-los — respondeu o monarca sorrindo —, mas, se vocês ainda persistem em sua resolução, eu mesmo os levarei aos aposentos da princesa.

Matthias ficou deslumbrado com a beleza da donzela real, enquanto ela, por sua vez, recebia o jovem radiante e bonito com mais gentileza do que os demais pretendentes, sem tentar esconder o quanto havia gostado de sua bela aparência e modos gentis. Mal o rei se havia retirado, Largo deitou-se do outro lado do quarto. Alto e o Homem com Olhos de Fogo colocaram-se perto da janela, enquanto Matthias conversava com a princesa e observava cada movimento seu atentamente.

De repente, ela parou de falar e depois de alguns instantes disse:

— Sinto como se uma chuva de papoulas estivesse caindo em meus olhos.

E, dizendo isso, ela se deitou no sofá, fingindo dormir.

Matthias não disse uma palavra. Ao vê-la adormecida, sentou-se a uma mesa perto do sofá, apoiou os cotovelos sobre ela e apoiou o queixo entre as mãos. Gradualmente, sentiu-se sonolento e fechou os olhos, assim como seus companheiros.

Esse era o momento pelo qual a princesa aguardava. Rapidamente, ela se transformou em uma pomba e voou em direção à janela. Se não fosse por uma de suas asas ter tocado o cabelo de Alto, ele nunca teria despertado, e certamente nunca teria conseguido pegá-la se não fosse pelo

Homem com Olhos de Fogo, que, assim que percebeu em qual direção ela se dirigia, lançou-lhe um olhar tão intenso, ou melhor, uma chama tão intensa que, num piscar de olhos, queimou suas asas e ela foi obrigada a pousar no topo de uma árvore. Ali, Alto a alcançou com facilidade e a colocou nas mãos de Matthias, onde ela se transformou novamente em uma princesa.

Na manhã seguinte e na outra, o rei ficou muito surpreso ao encontrar sua filha sentada ao lado do príncipe. Mas ele foi obrigado a ficar calado e aceitar os fatos como eles se apresentavam, ao mesmo tempo que entretinha seus convidados como convinha a um rei. Ao se aproximar a terceira noite, ele conversou com a filha e implorou que ela praticasse toda a magia de que era capaz para livrá-lo da presença dos intrusos cuja origem ele não conhecia, tampouco sua fortuna.

Quanto a Matthias, ele usou todos os meios ao seu alcance para chegar a um final feliz naquela que, até então, havia sido uma aventura muito bem-sucedida. Antes de entrar nos aposentos da princesa, ele chamou seus companheiros de lado e disse:

— Falta pouco, queridos amigos, e então seremos vitoriosos. Se falharmos, não esqueçam que nossas quatro cabeças vão rolar no cadafalso.

— Venha — responderam os três. — Não tema, seremos capazes de vigiar a princesa.

Quando entraram no quarto da princesa, apressaram-se em assumir suas posições, e Matthias sentou-se de frente para a dama. Ele preferiria desfrutar de sua companhia a ser obrigado a vigiá-la o tempo todo com medo de perdê-la. Determinado a não dormir desta vez, ele disse a si mesmo:

— Por ora vou vigiá-la, mas, quando você for minha esposa, descansarei.

À meia-noite, quando o sono começava a dominar seus observadores, a princesa ficou em silêncio e, esticando-se no sofá, fechou os lindos olhos como se estivesse realmente dormindo.

Matthias, cotovelos na mesa, queixo na palma da mão, olhos fixos na princesa, admirava sua amada em silêncio. Mas, como o sono fecha até os olhos da águia, o príncipe adormeceu e seus companheiros também.

A princesa, que durante todo esse tempo os observava atentamente e apenas aguardava por esse momento, levantou-se do sofá, transformou-se em uma pequena mosca e voou pela janela. Uma vez livre, ela se transformou em um peixe e mergulhou, escondendo-se nas profundezas de um poço.

Ela certamente teria conseguido escapar se, como uma mosca, não tivesse tocado levemente a ponta do nariz do Homem com Olhos de Fogo. Ele espirrou e abriu os olhos a tempo de perceber a direção em que ela havia desaparecido. Sem perder um instante, ele deu o alarme e os quatro correram para o pátio. O poço era muito profundo, mas isso não era problema. Alto logo se esticou até a profundidade necessária e procurou por todos os cantos, mas não conseguiu encontrar o peixinho, e parecia mesmo impossível que ele estivesse lá.

— Agora saia, vou tomar o seu lugar — disse Largo.

E, entrando desde o topo, ele encheu todo o interior do poço, ocupando-o tão completamente com seu imenso corpo que a água jorrou para fora. Mas nada do peixinho.

— Agora é a minha vez — disse o Homem com Olhos de Fogo. — Eu garanto que vou expulsar essa feiticeira esperta.

Quando Largo saiu do poço, a água voltou ao seu lugar, mas logo começou a ferver com o calor dos Olhos de Fogo. Ela fervia e fervia, até transbordar do poço; então, enquanto continuava a ferver e subir cada vez mais alto, um pequeno peixe foi jogado na grama, já meio cozido. Ao tocar o chão, novamente assumiu a forma da princesa.

Matthias foi até ela e beijou-a carinhosamente.

— Você me conquistou, meu senhor e meu marido — ela disse —, você conseguiu impedir minha fuga. A partir de agora sou sua, tanto por seu direito, quanto por minha vontade própria.

A cortesia, força e gentileza do jovem, bem como sua beleza, eram muito agradáveis à princesa; mas seu pai, o rei, não estava tão disposto a aprovar sua escolha, e resolveu não deixá-la ir com eles. Mas isso não incomodou Matthias, que decidiu levá-la, auxiliado por seus três camaradas. Eles logo deixaram o palácio.

O rei ficou furioso e ordenou que seus guardas os seguissem e os trouxessem de volta sob pena de morte. Enquanto isso, Matthias, a princesa e os três camaradas já haviam percorrido a distância de alguns quilômetros. Quando ela ouviu os passos de seus perseguidores, implorou ao Homem com Olhos de Fogo que visse quem eram eles. Ao se virar para olhar, ele disse a ela que um grande exército de homens a cavalo avançava a galope.

— Eles são os guardas de meu pai — disse ela —, não será fácil escapar deles.

Então, ao ver os cavaleiros se aproximarem, ela tirou o véu do rosto e jogou-o para trás na direção do vento, dizendo:

— Eu ordeno que apareçam tantas árvores quanto os fios deste véu.

Instantaneamente, uma floresta alta e espessa surgiu entre eles. Antes que os soldados tivessem tempo de abrir caminho pela densa floresta, Matthias e seu grupo conseguiram avançar muito e até descansar um pouco.

— Veja se eles ainda estão vindo atrás de nós — disse a princesa.

O Homem com Olhos de Fogo olhou para trás e disse-lhes que os guardas do rei haviam atravessado a floresta e vinham na direção deles com toda a velocidade.

— Eles não serão capazes de nos alcançar — exclamou ela. E, então, deixou cair uma lágrima de seus olhos, dizendo: — Lágrima, transforme-se em um rio.

No mesmo instante, um rio largo corria entre eles e seus perseguidores, e, antes que estes encontrassem meios de atravessá-lo, Matthias e seu grupo estavam bem longe.

— Homem com Olhos de Fogo — disse a princesa —, olhe para trás e me diga o quão próximo estão os que nos perseguem.

— Eles estão muito perto de nós novamente — respondeu ele —, estão quase nos alcançando.

— Escuridão, cubra-os — disse ela.

Ao ouvir essas palavras, Alto se ergueu. Ele se esticou, esticou e esticou até alcançar as nuvens, e ali, com seu chapéu, cobriu metade da face do sol. O lado dos soldados ficou negro como a noite, enquanto Matthias e seu grupo, iluminados pela metade brilhante, seguiram seu caminho sem obstáculos.

Depois de terem percorrido certa distância, Alto descobriu a face do sol e logo se juntou a seus companheiros percorrendo um quilômetro e meio a cada passo. Eles já estavam divisando a casa de Matthias, quando perceberam que os guardas reais os estavam seguindo novamente e bem de perto.

— Agora é a minha vez — disse Largo. — Sigam seu caminho em segurança, ficarei aqui. Estarei pronto à espera deles.

Ele aguardou silenciosamente a chegada deles, parado, imóvel, com a boca grande aberta de orelha a orelha. O exército real, que estava determinado a não voltar sem levar a princesa, avançou a galope para o reino de Matthias. Eles haviam decidido entre si que, se houvesse resistência, cercariam o reino.

Confundindo a boca aberta de Largo com um dos portões da cidade, todos atravessaram e desapareceram.

Largo fechou a boca e, tendo engolido a todos, correu para se juntar a seus camaradas no palácio do pai de Matthias. Ele se sentiu um pouco desconfortável com um exército inteiro dentro dele, e a terra gemeu e tremeu embaixo dele enquanto corria. Ele podia ouvir os gritos do povo reunido em torno de Matthias, enquanto se regozijavam com seu retorno seguro.

— Ah, aqui está você, enfim, irmão Largo — exclamou Matthias. — Mas o que você fez com o exército? Onde você o deixou?

— O exército está aqui, bastante seguro — respondeu ele, dando um tapinha em seu enorme corpo. — Ficarei muito satisfeito em devolvê-los intactos, pois não são muito fáceis de digerir.

— Venha então, deixe-os sair da prisão — disse Matthias, divertindo-se com a piada ao mesmo tempo que chamava todos os habitantes para acompanhar aquela cena inusitada.

Largo, que considerava essa uma situação corriqueira, ficou no meio da praça do palácio e, colocando as mãos ao lado do corpo, começou a tossir. Então, foi realmente uma cena que valia a pena ver. A cada tossida, cavaleiros e cavalos saíam de sua boca, caindo um sobre o outro, pulando e tentando escapar o mais rápido possível. O último teve um pouco de dificuldade para se libertar, pois de alguma forma entrou em uma das narinas de Largo e não conseguia sair. Foi apenas dando um bom espirro que Largo conseguiu libertar o último dos cavaleiros reais, e ele não perdeu tempo em seguir seus companheiros o mais rápido que pôde.

Alguns dias depois, o esplêndido casamento do príncipe Matthias e da princesa foi celebrado. O rei, seu pai, também estava presente. Alto foi enviado para convidá-lo. Devido ao seu conhecimento da estrada e ao comprimento de seus membros, ele realizou a jornada tão rapidamente que chegou lá antes que os cavaleiros reais tivessem tempo de voltar. Foi bom para eles que assim fosse, pois, se ele não tivesse suplicado para que suas vidas fossem poupadas, suas cabeças certamente teriam sido cortadas por retornarem de mãos vazias.

Agora todos estavam felizes e satisfeitos. O pai da princesa ficou encantado ao saber que sua filha havia casado com um príncipe rico e nobre, e Matthias generosamente recompensou seus bravos companheiros de viagem, que permaneceram ao seu lado até o fim de seus dias.

O PÁSSARO DE FOGO

Pegando uma pena do Pássaro de Fogo - Arte: Ivan Bilibin

Era uma vez um czar chamado Berendey, que tinha três filhos. O palácio do czar era cercado por um belo pomar, e entre as árvores do pomar havia uma macieira maravilhosa que produzia maçãs douradas. Um dia, o czar descobriu que alguém estava invadindo o pomar e roubando suas maçãs douradas. Ele ficou furioso e enviou seus guardas para pegar o ladrão. Mas, apesar de terem vigiado a noite toda, não tiveram sucesso.

O czar ficou tão contrariado com a perda de suas maçãs douradas que perdeu o apetite. Seus filhos tentaram confortá-lo, e o mais velho disse-lhe:

— Vou proteger o pomar do ladrão hoje à noite, pai.

E ele foi ao pomar. Mas, embora ele tivesse chegado lá bem cedo à noite e andado pelo pomar por algum tempo, não viu ninguém. Então ele se deitou no gramado e logo adormeceu. Na manhã seguinte, seu pai perguntou:

— Bem, você tem boas notícias para mim? Você viu o ladrão?

— Não, pai — respondeu o filho. — Nem ao menos dei uma piscadela a noite toda, não fechei os olhos nem por um segundo. Mas não vi ninguém.

Na noite seguinte, o segundo filho do czar foi guardar o pomar. Mas ele também dormiu a noite toda e, na manhã seguinte, disse ao pai que não havia visto sinal de ladrão, embora não tivesse fechado os olhos.

Agora era a vez de o irmão mais novo, o príncipe Ivan, guardar o pomar. E ele estava tão ansioso para pegar o ladrão que teve medo até mesmo de sentar-se e muito mais ainda de deitar-se. Quando sentiu que estava ficando sonolento, lavou o rosto com orvalho, e isso o fez acordar novamente. No meio da noite, ele pensou ter visto uma luz no pomar. A luz tornou-se mais e mais brilhante, até que todas as árvores foram iluminadas. Então ele viu que a luz vinha de um Pássaro de Fogo que estava sentado na macieira, bicando as maçãs douradas.

Ele se aproximou muito silenciosamente até a árvore e agarrou o pássaro pela cauda. Mas o Pássaro de Fogo abriu as asas e voou para longe, deixando apenas uma pena da cauda na mão do príncipe Ivan.

Na manhã seguinte, quando ele foi se apresentar ao pai, o czar perguntou-lhe:

— Bem, Ivan, você viu o ladrão?

— Querido pai — respondeu Ivan —, não posso dizer que o peguei, mas descobri quem está comendo nossas maçãs. E trouxe-lhe uma pena da cauda como prova. É o Pássaro de Fogo.

O czar pegou a pena, olhou para ela e não ficou mais triste, mas refletiu muito sobre o pássaro, e um dia chamou seus filhos e disse-lhes:

— Meus queridos filhos, quero que vocês montem bons cavalos e cavalguem pelo mundo para ver se conseguem encontrar o Pássaro de Fogo e trazê-lo de volta.

Os jovens curvaram-se perante o pai, selaram bons cavalos e partiram em suas jornadas: o mais velho em uma direção, o segundo filho em outra e o príncipe Ivan em uma terceira direção.

Ele cavalgou muitas distâncias, por todos os cantos, por caminhos e caminhos — pois muito rapidamente uma história é contada, mas com muito menos velocidade uma ação é realizada —, até chegar a um campo amplo e aberto, um prado verde. E lá no campo havia uma pilastra, e na pilastra foram escritas estas palavras: "Todo aquele que escolher a estrada que segue a partir do centro desta pilastra sofrerá com a fome e o frio. Quem quer que siga pelo lado direito, ficará são e salvo, mas seu cavalo perecerá. E todo aquele seguir pelo lado esquerdo será morto, mas seu cavalo permanecerá são e salvo". O príncipe Ivan leu a inscrição e foi para a direita, pensando que, embora seu cavalo pudesse ser morto, ele próprio permaneceria vivo e, com o tempo, conseguiria outro cavalo.

Ele cavalgou um dia, depois um segundo e um terceiro dia. De repente, um enorme lobo cinza veio em sua direção e disse:

— Ah, então é você, jovem rapaz, príncipe Ivan! Você viu a inscrição na pilastra que dizia que seu cavalo seria morto se você viesse por aqui. Por que então escolheu este caminho? — Ao dizer essas palavras, o lobo dilacerou o cavalo do príncipe Ivan e correu para longe.

O príncipe Ivan ficou muito triste por seu cavalo; derramou lágrimas amargas e então continuou a pé. Ele andou por um dia inteiro e estava completamente exausto. Ele estava prestes a sentar-se para descansar um pouco quando, de repente, o lobo cinzento o alcançou e disse:

— Sinto muito por você, príncipe Ivan, porque você está exausto de tanto andar; sinto muito por ter comido seu bom cavalo. Diga-me por que você viajou tão longe e para onde está indo.

— Meu pai me enviou para viajar pelo mundo até encontrar o Pássaro de Fogo.

— Ora, você poderia ter cavalgado seu bom cavalo por três anos e nunca encontrar o pássaro; somente eu sei onde ele mora. Eu comi seu cavalo, então agora vou servi-lo fielmente e bem. Monte nas minhas costas e aguente firme. O príncipe Ivan montou o lobo cinzento e ele correu, passando por florestas verdes e lagos azuis. Finalmente, eles chegaram a uma fortaleza muito alta. Lá, o lobo cinza disse a Ivan:

— Ouça-me com atenção e lembre-se do que eu digo. Escale o muro e não tenha medo; todos os guardas estão dormindo. No ático, você verá uma pequena janela; na janela, uma gaiola de ouro pendurada, e nessa gaiola está o Pássaro de Fogo. Pegue o pássaro e esconda-o debaixo do casaco; mas não toque na gaiola.

Príncipe Ivan e o Lobo Cinzento - A. Lopatine

O príncipe Ivan escalou o muro e viu o ático. E, como o lobo havia dito, na janela estava pendurada uma gaiola dourada, e dentro dela o Pássaro de Fogo. Ele pegou o pássaro e o colocou debaixo do casaco. Mas, enquanto olhava para a gaiola de ouro, não pôde deixar de cobiçá-la. Era feita de ouro puro; como ele poderia deixá-la para trás? Ele esqueceu completamente o que o lobo lhe havia dito. Mas, assim que tocou a gaiola, o alarme soou por toda a fortaleza; tambores tocaram e trombetas soaram, os guardas acordaram, capturaram o príncipe Ivan e o levaram ao czar Afron. O czar ficou furioso com a tentativa de roubar o Pássaro de Fogo e a gaiola, e perguntou ao príncipe:

— Quem é você e de onde vem?

— Eu sou o príncipe Ivan, filho do czar Berendey — respondeu Ivan.

— Que vergonha! O filho de um czar vindo aqui para roubar! — o czar Afron exclamou.

— É o que parece — respondeu o príncipe. — Mas seu pássaro voou para o nosso pomar e roubou as maçãs douradas.

— Nesse caso, você deveria ter me procurado e pedido o Pássaro de Fogo, e eu o teria dado a você por respeito a seu pai. Mas agora cuidarei para que todo mundo saiba do seu comportamento! E, para merecer meu perdão, você terá de se colocar a meu serviço. Um certo czar Kusman tem um cavalo com uma crina dourada. Traga esse cavalo para mim, e eu lhe darei o Pássaro de Fogo e a gaiola.

O príncipe Ivan ficou abatido ao pensar em ter de realizar uma tarefa dessas e foi contar ao lobo cinza o que havia acontecido. Mas o lobo disse-lhe:

— Eu disse para você não tocar na gaiola. Por que você me desobedeceu?

— Eu sei que errei; perdoe-me, lobo cinza.

— É fácil pedir perdão — respondeu o lobo. — Tudo bem, monte nas minhas costas novamente. Não vamos desistir agora.

Mais uma vez, o lobo cinza correu com o príncipe Ivan nas costas. E, finalmente, chegaram à fortaleza, onde o cavalo com a crina dourada estava. Então o lobo disse a Ivan:

— Escale o muro; não tenha medo, os guardas estão dormindo. Vá para o estábulo e traga o cavalo. Mas certifique-se de não tocar no freio que verá pendurado lá.

O príncipe escalou o muro até a fortaleza e viu que os guardas estavam dormindo. Ele foi direto para o estábulo e encontrou o cavalo com a crina de ouro. Mas seus olhos foram atraídos pelo freio pendurado; era feito de ouro e cravejado de pedras preciosas: o único freio adequado para um cavalo de crina dourada. E ele estendeu a mão para pegá-lo. Mas imediatamente o alarme soou por toda a fortaleza; tambores tocaram e trombetas soaram, os guardas acordaram, levaram o príncipe como prisioneiro e o conduziram diante do czar Kusman.

— Quem é você e de onde vem? — o czar perguntou a Ivan.

— Eu sou o príncipe Ivan.

— Tentar roubar um cavalo denota pouca sabedoria! Mesmo um camponês não tentaria fazer isso. Mas eu o deixarei ir, príncipe Ivan, se você concordar em se colocar a meu serviço. Um certo czar chamado Dalmat tem uma filha, a bela Helena. Pegue-a e traga-a para mim, e então eu lhe darei o cavalo de crina de ouro e o freio dourado.

Diante desse veredicto, o príncipe Ivan ficou ainda mais abatido do que antes. Mais uma vez ele foi ver o lobo cinza. Mas o lobo disse:

— Eu disse para você não tocar no freio. Você não obedeceu às minhas ordens.

— No entanto, perdoe-me, perdoe-me, lobo cinzento — implorou o príncipe.

— Está tudo muito bem quando se diz "perdoe-me". Tudo bem, suba nas minhas costas.

Mais uma vez, o lobo cinza correu com o príncipe Ivan nas costas, até que chegaram à fortaleza do czar Dalmat. Mas desta vez o lobo cinzento disse ao príncipe:

— Desta vez, irei eu mesmo. Retorne para o czar Afron; em breve vou alcançá-lo.

O príncipe Ivan obedientemente começou a retornar, enquanto o lobo cinza saltou sobre o muro da fortaleza e entrou no jardim. No jardim, a linda Helena caminhava com seus servos. O lobo escondeu-se atrás de um arbusto e observou-os. No momento em que a princesa ficou um pouco atrás de seus criados, o lobo a agarrou, colocou-a em suas costas e partiu em disparada. Ivan havia se distanciado quando o lobo cinza o alcançou, trazendo a bela Helena montada em suas costas. O príncipe ficou encantado, mas o lobo disse:

— Rápido, monte nas minhas costas, para o caso de sermos seguidos.

O príncipe montou nas costas do lobo atrás da princesa, e o lobo correu, passando pelas florestas verdes e pelos rios e lagos azuis. Finalmente chegaram à fortaleza do czar Kusman. Mas o príncipe parecia muito triste, então o lobo perguntou:

— Por que você está tão calado, príncipe Ivan? Você está triste?

— Não tenho boas razões para estar, lobo cinza? Como posso me separar dessa linda princesa? Como posso trocá-la por um cavalo?

— Vou providenciar que você não se afaste dela — prometeu o lobo. — Vamos escondê-la em algum lugar, então eu vou me transformar na linda princesa Helena, e você pode me levar ao czar.

Eles esconderam a princesa em uma cabana na floresta. Então, o lobo cinza lançou um feitiço e tornou-se a imagem viva da princesa. O príncipe Ivan a levou ao czar Kusman. O czar ficou encantado e disse:

— Obrigado, príncipe Ivan, por me trazer uma mulher tão bonita para ser minha esposa. Pegue o cavalo de crina dourada e o freio.

O príncipe colocou o freio no cavalo, montou-o e partiu para a cabana onde a verdadeira Helena estava escondida. Ele a colocou na garupa do cavalo, e eles foram embora.

Enquanto isso, o czar Kusman organizou o casamento, festejou o dia todo e metade da noite e, quando chegou a hora de dormir, levou a princesa falsa para o quarto. Mas, quando ele se deitou ao lado dela na cama, descobriu que não estava deitado com uma bela jovem esposa, mas com um lobo cinza. Ele ficou apavorado e fugiu, e o lobo escapou e saiu da fortaleza. Quando o lobo alcançou o príncipe Ivan, ele percebeu que estava triste novamente, e perguntou:

— Por que você está tão pensativo, príncipe?

— Eu tenho boas razões para estar. Estou triste em pensar que tenho de desistir do cavalo de crina dourada em troca do Pássaro de Fogo.

— Não desanime; eu vou ajudá-lo — disse o lobo. Quando eles chegaram à fortaleza do czar Afron, o lobo disse: — Você vai esconder o cavalo e a princesa. Então eu vou me transformar no cavalo de crina dourada e você pode me levar ao czar Afron.

Eles esconderam Helena e o cavalo na floresta. O lobo cinza proferiu um feitiço e se transformou no cavalo de crina dourada, e Ivan o levou ao czar. O czar Afron ficou encantado e entregou-lhe o Pássaro de Fogo e a gaiola dourada. O príncipe levou a gaiola com o pássaro para a floresta, colocou a princesa no cavalo de crina dourada e partiu em sua jornada de volta ao seu país natal.

Enquanto isso, o czar Afron deu a ordem para que o cavalo de crina dourada fosse trazido a sua presença. Mas, quando ele tentou montá-lo, o cavalo se transformou no lobo cinza. O czar ficou tão assustado que caiu no chão, enquanto o lobo cinza escapou e logo alcançou o príncipe Ivan.

— Agora devo dizer adeus, não posso seguir adiante — disse ao príncipe.

Então Ivan desmontou do cavalo e se curvou três vezes, agradecendo respeitosamente ao lobo cinza. Mas o lobo disse:

— Não me dê adeus para sempre. Eu ainda estarei a seu serviço.

— Como você pode me prestar mais algum serviço? — Ivan pensou. — Todos os meus desejos se tornaram realidade.

Ele montou o cavalo de crina dourada e partiu com a bela Helena e o Pássaro de Fogo. Ele chegou a seu próprio país, mas, como ainda tinha um caminho a percorrer para chegar a casa, decidiu descansar ao meio-dia. Então eles comeram um pouco, beberam água de uma nascente e deitaram para descansar. Assim que o príncipe adormeceu, seus irmãos passaram a cavalo e viram-no. Eles viajaram por toda parte em busca do Pássaro de Fogo, mas é claro que não o encontraram. Quando viram o irmão dormindo e notaram que ele tinha o pássaro, o cavalo com o freio e até uma bela jovem, eles conspiraram para matar o irmão e ficarem com tudo para si.

Então eles mataram o príncipe Ivan, montaram o cavalo de crina dourada, colocaram a bela Helena em outro e a ameaçaram:

— Você não deve dizer uma palavra a ninguém quando chegarmos a casa.

Eles, pois, cavalgaram com o cavalo, a princesa e o Pássaro de Fogo, até o pai.

Deixaram o príncipe Ivan morto, com os corvos já se reunindo acima dele. Mas, de repente, o lobo cinzento correu e pegou um corvo com seu filhote.

— Corvo, você deve voar para longe e me trazer água borbulhante e água natural — disse o lobo ao corvo. — Se você me trouxer os dois tipos de água, deixarei seu filhote ir.

O corvo concordou e voou, enquanto o lobo vigiava o filhote. No devido tempo, a ave retornou trazendo a água borbulhante e a água natural. Então o lobo banhou as feridas de Ivan com a água natural e as feridas sararam; espirrou a água borbulhante, e o príncipe reviveu.

— Eu estava em um sono tão profundo — ele bocejou.

— Sim, você estava dormindo profundamente — disse o lobo cinza. — Mas, não fosse por mim, você nunca teria despertado. Seus próprios irmãos o mataram e levaram tudo o que você conquistou. Agora, suba nas minhas costas, rápido!

O lobo correu em busca dos dois irmãos mais velhos, e logo os alcançou. Dilacerou-os e espalhou os pedaços pelo campo. O príncipe Ivan curvou-se e agradeceu ao lobo cinza mais uma vez e despediu-se para sempre. Ele montou o cavalo de crina dourada e voltou para casa com a princesa. Ele havia obtido o Pássaro de Fogo para o pai e a bela Helena como esposa para si.

O czar Berendey ficou encantado em vê-lo com o Pássaro de Fogo e pediu que ele contasse todas as suas aventuras. O príncipe Ivan contou a seu pai como o lobo cinzento o ajudara a conseguir o Pássaro de Fogo, o cavalo e a bela Helena, como seus irmãos o mataram enquanto ele dormia, e como o lobo o restaurara à vida e depois os despedaçara.

O czar lamentou a perda de seus dois filhos, mas logo foi consolado pelo casamento do príncipe Ivan com a bela princesa Helena, e eles viveram felizes para sempre.

MARIA MOREVNA

Maria Marevna - Arte: Ivan Bilibin

Era uma vez um príncipe chamado Ivan, que tinha três irmãs: Maria, Olga e Anna. Pouco antes de morrerem, seus pais, o Czar e a Czarina, instruíram Ivan acerca de seus últimos desejos em relação às três filhas:

— Ivan — disseram eles —, se alguém vier até você e pedir a mão de uma de suas irmãs em casamento, entregue-a a ele. Não mantenha nenhuma delas em casa com você.

Depois de enterrar os pais, o príncipe foi passear com as irmãs pelo jardim. De repente, uma nuvem negra cobriu o céu, e um terrível trovão estremeceu a terra.

— É melhor irmos para casa, irmãs — disse o príncipe Ivan.

Mal haviam entrado no palácio, quando ouviram outro trovão, o teto se partiu em dois e um falcão branco voou para dentro do palácio. O falcão tocou o chão e se transformou em um lindo jovem.

— Saudações, príncipe Ivan — disse o recém-chegado. — Antigamente eu costumava vir como seu convidado, mas hoje vim pedir a mão de sua irmã, a princesa Maria.

— Se você ama minha irmã — respondeu o príncipe Ivan —, não tenho objeções. Que Deus a abençoe.

A princesa Maria concordou com o casamento, e então ela e o falcão celebraram o enlace e ele a levou para seu reino.

Hora após hora, dia após dia, e um ano inteiro se passou. Então, um dia, o príncipe Ivan foi passear com as duas irmãs pelo jardim. Mais uma vez, uma nuvem negra cobriu o céu e depois dela um redemoinho de vento e um raio atingiram o jardim.

— É melhor irmos para casa, irmãs — disse o príncipe Ivan.

Mal haviam entrado no palácio, quando houve outro trovão, o teto se partiu em dois e uma águia voou para dentro do palácio. Ela tocou o chão e se transformou em um belo jovem.

— Saudações, príncipe Ivan — disse ele. — Antigamente, eu costumava vir como convidado, mas hoje vim como pretendente. Desejo me casar com a princesa Olga.

O príncipe Ivan disse a ele:

— Se você ama minha irmã Olga, e se for da vontade dela, ela pode ir com você. Não farei objeção.

A princesa Olga concordou, eles se casaram, e então a águia a levou para o seu reino.

Outro ano se passou quando um dia o príncipe Ivan disse à sua irmã mais nova:

— Vamos dar uma volta pelo jardim.

Eles andaram um pouco, quando ouviram um forte trovão seguido por um raio.

— É melhor irmos para casa, irmã — disse o príncipe.

Eles voltaram para casa, mas, antes que pudessem sentar-se para descansar, houve outro trovão, o teto se abriu e um corvo adentrou o palácio. Ele tocou o chão e se transformou em um lindo jovem. O falcão e a águia eram muito bonitos, mas o corvo possuía uma beleza ainda mais impressionante.

— Bem, príncipe Ivan — disse ele —, antigamente, eu costumava vir como convidado, mas hoje vim como pretendente. Conceda-me a mão da princesa Anna em casamento.

— Não obrigarei minha irmã a casar-se contra sua vontade. Se você se apaixonou por ela e ela por você, ela pode ir com você — respondeu Ivan.

A princesa Anna concordou em ser a esposa do corvo e ele a levou para sua casa.

Agora o príncipe Ivan estava sozinho e passou um ano inteiro sem ver suas irmãs.

— Vou ver como elas estão indo — disse a si mesmo.

Ele se preparou para a viagem e partiu. Depois de percorrer certa distância, chegou a um campo onde vários soldados jaziam mortos. E ele chamou:

— Se houver algum homem ainda vivo aqui, diga-me: quem matou toda essa poderosa tropa?

Apenas um homem foi deixado vivo e ele respondeu:

— Toda essa poderosa tropa foi morta por Maria Morevna, a bela rainha.

O príncipe seguiu adiante em sua viagem e chegou a tendas brancas montadas em um campo. E de uma delas saiu a bela rainha Maria Morevna, que veio ao seu encontro.

Maria Marevna - Arte: Ivan Bilibin

Saudações, príncipe — disse ela. — Para onde vai, para a liberdade ou a escravidão?

— Jovens de alta estirpe não cavalgam para a escravidão — respondeu o príncipe Ivan.

— Bem, já que não há pressa, seja nosso convidado e fique em uma de nossas tendas — ela o convidou.

O príncipe ficou agradecido com o convite e passou duas noites no acampamento da rainha. Ele se apaixonou por ela e ela por ele, e eles se casaram.

A bela rainha Maria Morevna levou o príncipe com ela para seu país, e eles viveram felizes por algum tempo. Mas, então, a rainha decidiu declarar guerra contra outro país. Entregou o governo de todas as suas terras ao príncipe Ivan e disse-lhe:

— Cavalgue por toda parte e fique de olho em tudo. Mas uma coisa você não deve fazer: não deve sequer olhar para dentro deste pequeno quarto. — E ela lhe mostrou a porta do quarto.

Infelizmente, o príncipe não pôde conter sua curiosidade. Assim que a rainha se afastou, ele correu para o quarto, abriu a porta, olhou para dentro e viu Kashchey, o Imortal, preso por doze correntes. Quando Kashchey viu o príncipe, ele implorou:

— Tenha pena de mim, dê-me um pouco de água para beber. Por dez anos, tenho sofrido os piores tormentos aqui, não recebo nem comida nem água. E minha garganta está muito seca.

Então o príncipe lhe trouxe um balde cheio de água; ele bebeu tudo de uma só vez e perguntou:

— Dê-me um pouco mais; minha sede não pode ser saciada com um único balde.

O príncipe trouxe um segundo balde, Kashchey bebeu tudo e ainda pediu um terceiro. Mas, quando ele bebeu o terceiro balde de água, toda a sua força foi restaurada, ele sacudiu as correntes e quebrou as doze de uma vez só.

— Obrigado, príncipe Ivan — disse Kashchey, o Imortal. — Agora você nunca mais verá Maria Morevna, assim como não pode ver suas próprias orelhas.

Ele voou pela janela com uma rajada de vento terrível, alcançou a bela rainha Maria Morevna na estrada e levou-a embora.

O príncipe, deixado sozinho em seu palácio, chorou amargamente pela perda de sua linda Maria Morevna, mas depois decidiu ir procurá-la e preparou-se para uma longa jornada.

— Não importa o que aconteça — declarou ele —, procurarei até encontrar minha amada Maria Morevna.

Ele cavalgou por um dia, e por mais um, e ao amanhecer do terceiro dia chegou a um palácio maravilhoso. Um carvalho crescia do lado de fora do palácio, e no carvalho estava um falcão branco. O falcão voou do carvalho, tocou o chão e se transformou em um lindo jovem. Ele gritou:

— Ora, é meu cunhado! Como Deus está tratando você, príncipe Ivan?

A princesa Maria, irmã de Ivan, ouviu o grito e saiu correndo. Ela acolheu Ivan com alegria, perguntando sobre sua saúde e querendo saber tudo o que havia acontecido com ele depois de sua partida. O príncipe ficou com a irmã e o cunhado como hóspede por três dias. Mas então lhes disse:

— Não posso ficar mais com vocês. Estou em busca de minha esposa, a bela rainha Maria Morevna.

— Você terá dificuldade para encontrá-la — disse o falcão. — Mas deixe sua colher de prata conosco, caso possamos ajudar. Vamos olhar para ela e isso nos fará lembrar de você.

Então o príncipe Ivan deixou sua colher de prata com o falcão e seguiu seu caminho.

Ele viajou por dois dias e, ao amanhecer do terceiro dia, viu-se diante um palácio ainda mais bonito que o do falcão. Do lado de fora havia um carvalho, e no carvalho estava uma águia.

Quando viu Ivan, a águia voou do carvalho, transformou-se em um lindo jovem e gritou:

— Levante-se, princesa Olga. Nosso querido irmão Ivan chegou!

A princesa Olga saiu correndo e cumprimentou Ivan alegremente, abraçando-o, perguntando por sua saúde e tudo o que havia acontecido com ele desde o seu casamento. O príncipe Ivan passou três dias com a irmã e o cunhado e, então, disse:

— Não posso mais permanecer como seu convidado. Vou procurar minha esposa, Maria Morevna, a bela rainha.

A águia disse a ele:

— Você terá dificuldade em encontrá-la. Mas deixe seu garfo de prata conosco; de tempos em tempos, olharemos para ele e isso nos fará lembrar de você.

Então o príncipe lhes deu o garfo de prata, despediu-se e partiu.

Ele passou mais dois dias viajando pela estrada e, ao amanhecer do terceiro, chegou a um palácio ainda mais refinado que os outros dois. Fora do palácio, um carvalho crescia e, no carvalho, havia um corvo. Quando viu Ivan, o corvo voou em sua direção, tocou o chão, transformou-se em um lindo jovem e gritou:

— Princesa Anna! Venha depressa, nosso irmão chegou.

A princesa Anna saiu correndo e acolheu seu irmão com alegria, abraçando-o e perguntando por sua saúde e tudo o que havia acontecido com ele desde sua partida. O príncipe Ivan foi seu convidado por três dias, e depois disse:

— Adeus! Devo partir em busca de minha esposa, a bela rainha Maria Morevna.

— Você enfrentará muitas dificuldades para encontrá-la — disse o corvo. — Mas deixe sua caixa de rapé de prata conosco; ocasionalmente, olharemos para ela e isso nos fará lembrar de você.

O príncipe lhes deu sua caixa de rapé prateada, despediu-se e seguiu seu caminho.

Mais dois dias se passaram, mas no terceiro dia ele chegou ao local onde estava Maria Morevna. Ela viu seu amado marido chegando, correu para ele, atirou-se em seus braços e chorou amargamente ao dizer:

— Ah, príncipe Ivan, por que você não me ouviu? Por que você entrou naquele quarto e soltou Kashchey, o Imortal?

— Perdoe-me, Maria Morevna — implorou. — Não me reprove pelo passado, mas siga comigo antes que Kashchey, o Imortal, nos veja. Talvez cheguemos longe o suficiente para ele não nos alcançar.

Então eles se prepararam e partiram. Kashchey estava caçando e, ao voltar para casa no final da tarde, seu bom cavalo tropeçou no caminho.

— O que há com você, seu velho cavalo idiota? O que o fez tropeçar? Você pressentiu algum infortúnio?

O cavalo respondeu:

— O príncipe Ivan veio e levou Maria Morevna.

— Mas conseguiremos alcançá-los? — perguntou Kashchey.

— Você pode semear seu trigo, esperar que cresça, colhê-lo e triturá-lo, moer em farinha, assar pão em cinco fornos, comer o pão, e só então partir em busca deles. E, ainda assim, nós os alcançaríamos — disse o cavalo.

Então Kashchey galopou e alcançou o príncipe Ivan.

— Bem — disse ele ao príncipe —, por essa primeira vez, eu lhe perdoarei em retribuição a sua gentileza em me dar água para beber. E posso perdoar-lhe uma segunda vez. Mas, se acontecer uma terceira vez, ai de você: eu o alcançarei e cortarei em pedacinhos.

Ele tomou Maria Morevna dos braços do príncipe e a levou, enquanto Ivan se sentava em uma pedra e chorava.

Ele chorou até não ter mais lágrimas, depois partiu novamente para buscar Maria Morevna. Quando ele chegou, Kashchey, o Imortal estava caçando.

— Vamos lá, Maria — disse o príncipe.

Mas ela respondeu:

— Ah, querido Ivan, ele vai nos alcançar.

— Deixe-o vir — disse ele. — Pelo menos passaremos uma ou duas horas juntos.

E, como ele insistisse, prepararam-se e partiram. No final da tarde, Kashchey, o Imortal estava voltando para casa quando seu cavalo tropeçou novamente.

— O que há com você, seu velho cavalo idiota? O que o fez tropeçar? Você pressentiu algum infortúnio?

— O príncipe Ivan veio e levou Maria Morevna embora — respondeu o cavalo.

— Então conseguiremos alcançá-los? — perguntou ele.

— Você pode semear cevada, esperar que cresça, colhê-la e debulhá-la, fazer cerveja, beber a cerveja até ficar bêbado, dormir profundamente e depois cavalgar atrás deles, e ainda assim nós os alcançaríamos.

Então Kashchey galopou atrás do príncipe Ivan, alcançou-o e disse:

— Você não se lembra de eu ter-lhe dito que não veria Maria Morevna mais do que às suas próprias orelhas? Mas eu lhe perdoo pela segunda vez.

Ele tomou Maria Morevna e a levou embora.

O príncipe Ivan foi deixado sozinho. Ele chorou e chorou, mas depois voltou pela terceira vez para Maria Morevna. Kashchey estava fora de casa quando Ivan chegou.

— Vamos embora, Maria — implorou.

— Ah, Ivan — respondeu ela —, ele vai nos alcançar e o cortará em pedaços.

— Deixe que venha! — disse o príncipe Ivan. — Não posso viver sem você.

Então eles se prepararam e partiram. Quando Kashchey, o Imortal estava voltando para casa naquela tarde, seu bom cavalo tropeçou.

— O que fez você tropeçar? — ele perguntou.

O cavalo respondeu:

— O príncipe Ivan voltou e levou Maria Morevna mais uma vez.

Desta vez, Kashchey nem parou para perguntar se o cavalo poderia alcançá-los. Ele galopou atrás de Ivan e Maria, alcançou-os, cortou Ivan em pedaços com a espada e colocou os pedaços em um barril de alcatrão. Depois, envolveu o barril com argolas de ferro e jogou-o no mar azul. E levou Maria Morevna de volta ao seu palácio.

No exato momento em que Kashchey cortou o príncipe Ivan em pedaços, os artigos de prata que o príncipe havia deixado com suas irmãs ficaram escurecidos.

— Ah! — disseram seus cunhados. — Certamente algum infortúnio o acometeu.

A águia, então, voou alto, avistou o barril flutuando no mar e o arrastou até a costa. O falcão voou para buscar água da nascente e o corvo por água parada. Então os três voaram para o local onde estava o barril, quebraram-no, pegaram os pedaços do príncipe Ivan, lavaram uma a um e os juntaram como antes. O corvo borrifou a água parada sobre os pedaços, e eles uniram-se formando um todo; o falcão borrifou a água da nascente sobre o corpo, e o príncipe Ivan estremeceu, sentou-se e disse:

— Ora, há quanto tempo estou dormindo?

— Você teria dormido muito mais se não fosse por nós — disseram seus cunhados. — Agora venha e seja nosso convidado.

— Não, queridos irmãos — ele respondeu. — Eu devo ir em busca de Maria Morevna.

Então ele partiu mais uma vez, chegou ao palácio onde ela estava sendo mantida prisioneira e disse-lhe:

— Descubra onde Kashchey, o Imortal obteve um cavalo tão esplêndido para cavalgar.

Maria Morevna esperou por um momento favorável e, depois, perguntou a Kashchey sobre o cavalo. E ele contou-lhe:

— Além das vinte e sete terras, no trigésimo reino, do outro lado do Rio de Fogo vive uma bruxa, Baba Yaga. Ela possui uma égua na qual voa ao redor do mundo todos os dias. Ela tem muitas outras éguas notáveis também. Eu trabalhei para ela por três dias como pastor. Ela não me deu uma de suas éguas em pagamento pelo meu trabalho, mas deu-me um pequeno potro.

— Mas como você atravessou o Rio de Fogo? — perguntou Maria.

— Eu tenho um lenço mágico. Acenei três vezes para a direita, e uma ponte muito alta surgiu, a qual o fogo não conseguiu alcançar.

Maria Morevna ouviu atentamente o que ele disse e contou ao príncipe Ivan tudo o que havia descoberto. Ela conseguiu se apossar do lenço mágico sem Kashchey perceber, e entregou-o ao príncipe.

Então, o príncipe Ivan usou o lenço para atravessar o Rio de Fogo e correu para encontrar a bruxa Baba Yaga. Ele caminhou por um longo tempo sem encontrar nada para comer ou beber. Finalmente, ele viu um pássaro com seus filhotinhos e disse:

— Devo comer um de seus filhotes.

— Por favor, não faça isso, príncipe Ivan — implorou a mãe. — Não pegue nenhum dos meus filhotes, e mais cedo do que imagina estarei a seu serviço.

Ele continuou seu caminho. Um pouco mais tarde, na floresta, ele viu uma colmeia e disse:

— Vou tomar um pouco do mel.

Mas a abelha rainha implorou:

— Não tome meu mel, príncipe Ivan. Então, um dia, serei útil para você.

Ouvindo isso, ele não tocou no mel e seguiu em frente. Viu uma leoa com seu filhote vindo em sua direção e disse:

— Devo comer esse filhote. Estou com tanta fome que poderia comer qualquer coisa.

— Por favor, não machuque meu filhote, príncipe Ivan — implorou a leoa. — Em algum momento, estarei a seu serviço.

— Tudo bem, como você quiser — disse ele.

Então ele continuou andando e sentindo muita fome, até chegar à casa da bruxa Baba Yaga. A casa estava cercada por doze estacas; sobre onze dessas estacas havia cabeças humanas empaladas, e apenas uma das estacas estava sem cabeça. Ele foi até a bruxa e disse:

— Saudações, vovó.

— Saudações, príncipe Ivan — respondeu ela. — Por que você veio me visitar, por vontade própria ou por necessidade?

— Vim em busca de um cavalo digno de um herói — disse ele.

— Certamente, príncipe! E você terá de me servir por um ano. Se você conduzir minhas éguas ao pasto sem perder nenhuma delas, darei a você um cavalo digno de qualquer herói. Mas, se você falhar, tenha certeza de que enfiarei sua cabeça naquela estaca vazia.

O príncipe concordou com aquelas condições. A bruxa deu-lhe comida e bebida e disse-lhe para começar a trabalhar. Mas ele mal começou a conduzir as éguas pelo campo e elas ergueram seus cascos e saíram em disparada em todas as direções. Antes que ele tivesse tempo de fazer qualquer coisa, todas desapareceram de sua vista. Ele mergulhou em desespero, sentou-se em uma pedra e começou a chorar. Mas ele estava tão cansado que adormeceu. O sol estava se pondo quando ele foi acordado pelo pássaro cujo filhote ele havia poupado.

Maria Morevna - Arte: Ivan Bilibin

— Levante-se, príncipe Ivan — disse ela. — E não se preocupe: as éguas já estão em casa.

Então, o príncipe levantou-se e voltou para a casa da bruxa. E lá estava ela gritando e vociferando com as éguas:

— Por que vocês voltaram para casa?

— Mas o que mais poderíamos fazer? — perguntaram elas. — Pássaros vieram voando de todas as direções e quase nos arrancaram os olhos.

— Nesse caso, amanhã não se espalhem pelos prados, mas corram para a densa floresta, — disse ela.

O príncipe Ivan dormiu tranquilamente naquela noite e, de manhã, a bruxa disse-lhe:

— Olhe bem, príncipe! Se você não cuidar de minhas éguas direitinho, se perder uma única sequer, sua cabeça decorará aquela estaca.

Ele foi até as éguas e as conduziu para o campo. Mas elas imediatamente abanaram seus rabos e se espalharam pela densa floresta. Desesperado, o príncipe sentou-se em uma pedra e chorou. Mas ele se sentiu tão cansado de perseguir as éguas que adormeceu. Enquanto o sol se punha além da floresta, a leoa correu até ele e o acordou.

— Vá para casa, príncipe Ivan — ela disse. — As éguas estão todas reunidas novamente.

O príncipe voltou para casa e lá encontrou a bruxa furiosa e gritando ainda mais alto do que antes com as éguas.

— Por que vocês voltaram para casa? — ela perguntou.

— Mas o que mais poderíamos fazer? — perguntaram elas. — Animais selvagens de todo o mundo vieram correndo atrás de nós e quase nos despedaçaram.

— Bem, então — disse ela —, amanhã vocês devem correr direto para o mar azul.

O príncipe teve outra boa noite de sono e na manhã seguinte a bruxa o enviou pela terceira vez para conduzir as éguas.

— Mas lembre-se, se você perder uma delas — ela o avisou —, sua cabeça enfeitará a estaca.

Assim que ele conduziu as éguas para o campo, elas balançaram suas crinas e desapareceram de vista correndo diretamente para o mar azul. Lá elas mergulharam até a altura do pescoço na água. O príncipe Ivan ficou desesperado, sentou-se em uma pedra e chorou. E, enquanto ele chorava, adormeceu. O sol estava se pondo quando a abelha rainha voou e disse a ele:

— Levante-se, príncipe. Todas as éguas estão reunidas. Mas, quando você voltar, não deixe que a bruxa o veja. Entre no estábulo e esconda-se atrás dos cochos. Lá você verá um potro de aparência triste rolando no esterco. Roube-o e, na calada da noite, fuja da casa da bruxa.

O príncipe Ivan levantou-se, foi para o estábulo e se escondeu atrás dos cochos. Enquanto estava deitado, ouviu Baba Yaga gritando e xingando suas éguas:

— Por que vocês voltaram?

— Mas o que mais poderíamos fazer? — perguntaram elas. — Enxames de abelhas de todo o mundo voaram e nos picaram até nos arrancarem sangue.

A bruxa foi para a cama e, à meia-noite, o príncipe Ivan pegou o potro de aparência triste, selou-o e galopou na direção do Rio de Fogo. Ele foi até o rio e balançou o lenço de Kashchey três vezes para a direita. De repente, uma ponte magnífica e elevada pairava sobre o rio, surgindo do nada. Ele atravessou a ponte e acenou com o lenço para a esquerda. Mas ele acenou apenas duas vezes e uma ponte muito estreita foi deixada do outro lado do rio. Do outro lado, o príncipe alimentou o potro com grama de excelente qualidade do prado verde, e ele se transformou em um cavalo magnífico.

Na manhã seguinte, quando a bruxa acordou, ela não conseguiu encontrar o príncipe e logo descobriu que o potro havia desaparecido. Então ela partiu atrás deles montando seu almofariz de ferro, agitando seu pilão e varrendo seus rastros com uma vassoura. Ela subiu o Rio de Fogo, olhou para a ponte e pensou:

— Essa é uma boa ponte!

Mas, quando subiu na ponte e alcançou o meio, ela desabou e a bruxa caiu de cabeça no Rio de Fogo. Lá ela encontrou uma morte terrível.

Enquanto isso, o príncipe Ivan cavalgava mais uma vez para resgatar Maria Morevna. Ela o viu chegando, saiu correndo e colocou os braços em torno de seu pescoço.

— Como você voltou à vida? — perguntou ela.

Ele contou a ela tudo o que havia acontecido e disse:

— Agora vá para casa comigo.

— Mas eu tenho medo, príncipe Ivan — respondeu ela. — Se Kashchey nos alcançar, ele cortará você em pequenos pedaços novamente.

— Ele não vai nos alcançar desta vez — disse ele. — Agora eu tenho um cavalo magnífico, digno de qualquer herói e que voa como um pássaro.

Então eles montaram no cavalo e partiram.

Quando Kashchey, o Imortal, voltava para casa à tarde, seu cavalo tropeçou.

— Qual é o problema desta vez, velho chato? — ele perguntou.

— O príncipe Ivan voltou e carregou Maria Morevna com ele — disse o cavalo.

— Mas conseguiremos alcançá-los? — perguntou ele.

— Deus sabe! — respondeu o cavalo. — O príncipe Ivan agora tem um cavalo digno de qualquer herói, e é ainda melhor do que eu.

— Não, não posso suportar a ideia de deixá-los fugir — disse Kashchey. — Vamos persegui-los!

Ele cavalgou muito, cavalgou rápido e alcançou o príncipe Ivan, pulou no chão e estava prestes a derrubá-lo com sua espada afiada. Mas o cavalo de Ivan voou com seus cascos traseiros, chutou Kashchey com toda a sua força e esmagou sua cabeça. Ivan acabou com ele com um porrete. Então o príncipe fez uma pilha de madeira, incendiou-a, queimou Kashchey, o Imortal na pira e espalhou suas cinzas aos quatro ventos.

Maria Morevna montou o cavalo de Kashchey, o príncipe montou o dele, e eles foram embora para visitar primeiro o corvo, depois a águia e por fim o falcão. Em cada um dos palácios foram recebidos com alegria.

— Ah, príncipe Ivan — disseram suas irmãs e cunhados —, perdemos toda a esperança de vê-lo novamente. Mas agora podemos ver por que você se expôs a um perigo tão grande. Você poderia procurar em todo o mundo outra rainha tão bonita quanto Maria Morevna sem jamais encontrar uma!

Em cada um dos três palácios, eles festejaram e banquetearam, e depois cavalgaram para seu próprio reino. Quando chegaram a casa, mais uma vez viveram felizes.

O ANÃO DE BARBA LONGA

THE DWARF

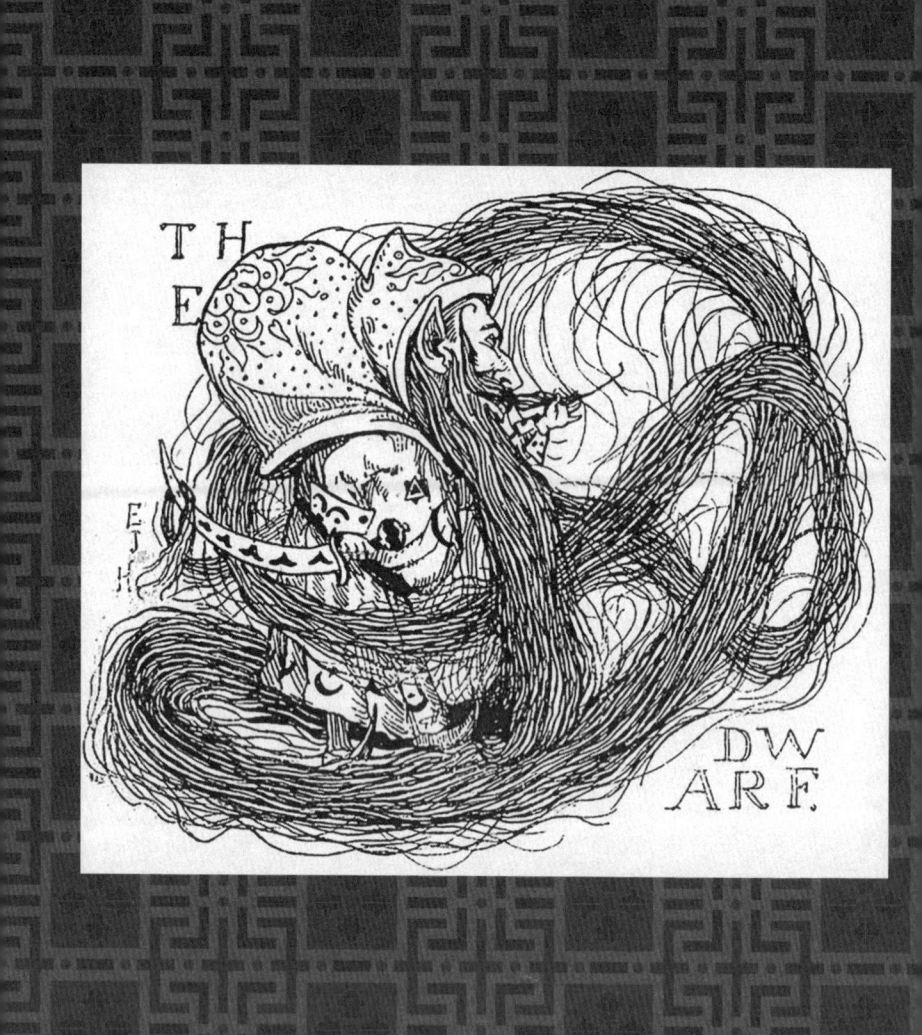

Em uma terra muito distante, vivia um rei e sua única filha, que era tão bonita que não havia ninguém em todo o reino que pudesse ser comparado a ela. Ela era conhecida como princesa Pietnotka, e a fama de sua beleza se espalhara por toda parte. Muitos príncipes se apresentaram como seus pretendentes, mas sua escolha recaiu sobre o príncipe Dobrotek. Ela obteve o consentimento de seu pai para o casamento e, então, acompanhada por uma numerosa comitiva, seguiu com seu amado príncipe rumo à igreja, tendo primeiro, como era costume, recebido a bênção de seus pais. A maioria dos príncipes que não haviam conseguido conquistar o coração de Pietnotka retornaram decepcionados a seus próprios reinos. Mas um deles, um anão de apenas dezoito centímetros de altura, com uma enorme corcunda e uma barba de dois metros de comprimento, que além de poderoso príncipe era também um mago, ficou tão enfurecido que decidiu se vingar.

Ele se transformou em um redemoinho de vento e ficou esperando pela chegada da princesa. Quando a comitiva do casamento estava prestes a adentrar a igreja, o ar foi subitamente invadido por uma poderosa nuvem de poeira, e Pietnotka foi erguida no ar até a altura das nuvens e, em seguida, lançada vertiginosamente até um palácio subterrâneo. Lá o anão, que havia lançado aquele feitiço, desapareceu, deixando a princesa inconsciente.

Quando abriu os olhos, Pietnotka viu-se em um aposento tão magnífico que imaginou que algum rei a havia capturado. Ela se levantou e começou a andar pelo quarto, quando, de repente, como se por obra de uma mão invisível, uma mesa foi colocada bem à sua frente com pratos de ouro e prata e repleta de bolos de todos os tipos. Eles pareciam tão tentadores que, apesar de sua dor, ela não resistiu e provou cada um deles, comendo até ficar plenamente satisfeita. Ela voltou ao sofá e deitou-se para descansar, mas, incapaz de dormir, olhou primeiro para a porta e depois para a lâmpada acesa sobre a mesa, depois para a porta novamente e depois para a lâmpada. De repente, a porta se abriu, dando passagem a quatro escravos fortemente armados e carregando um trono de ouro, sobre o qual estava sentado o anão com a barba comprida. Ele aproximou-se do sofá e tentou beijar a princesa, mas ela lhe retribuiu com um golpe no rosto que, de tão forte, o fez ver mil estrelas e ouvir mil sinos tocando. Ele soltou um berro tão alto que as paredes do palácio tremeram. No entanto, seu amor por ela era tão grande que ele fez o possível para não demonstrar sua raiva e se afastou. Mas, ao sair, seus pés se enroscaram na longa barba e ele caiu, deixando cair também um chapéu que carregava na mão. Esse chapéu era mágico e tinha o poder de tornar invisível qualquer um que o usasse. Os escravos imediatamente levantaram seu mestre do chão, colocaram-no de volta no trono e saíram do aposento rapidamente.

Assim que a princesa se viu sozinha, pulou do sofá, trancou a porta e, pegando o chapéu, correu para o espelho para experimentá-lo e ver como lhe caía. Imagine seu espanto ao olhar no espelho e ver *absolutamente nada!* Ela tirou o chapéu, e eis que lá estava novamente sem faltar nenhum pedaço. Ela logo descobriu que tipo de chapéu era aquele e, regozijando-se com a posse daquela maravilha, colocou-o na cabeça novamente e começou a andar pela sala. Logo a porta se abriu violentamente e o anão entrou com a barba amarrada. Mas ele não encontrou nem a princesa nem o chapéu, e chegou à conclusão de que ela o havia levado. Com muita raiva, ele começou a procurar por todos os lados; olhou por baixo de todos os móveis, por trás das cortinas e até debaixo dos tapetes, mas tudo em vão. Enquanto isso, a princesa, ainda invisível, havia deixado o palácio e correra para o jardim, que era amplo e bonito. Ali ela passou a viver à vontade, comendo deliciosas frutas, bebendo água da fonte e divertindo-se com a fúria impotente do anão, que a procurava incansavelmente. Às vezes, ela jogava os caroços das frutas no rosto dele, ou tirava o chapéu e mostrava-

-se por um instante, e depois o colocava novamente, rindo com alegria da raiva dele.

Um dia, durante essa divertida brincadeira, o chapéu ficou preso nos galhos de um arbusto de groselha. O anão, vendo isso, apressou-se para agarrar a princesa com uma mão e o chapéu com a outra, e estava prestes a levar os dois de volta ao palácio, quando ouviu o som de uma trombeta de guerra.

O anão tremeu de raiva e murmurou mil maldições. Ele soprou sobre o rosto da princesa para fazê-la dormir, cobriu-a com o chapéu invisível e, segurando a espada de duas lâminas, ergueu-se no ar tão alto quanto as nuvens, pois assim poderia cair sobre seu agressor e matá-lo com um só golpe. O inimigo veria agora com quem teria de lidar.

Depois que o furacão atingiu a comitiva do casamento e levou a princesa, formou-se um grande alvoroço entre os que estavam na corte. O rei, os servos da princesa e o príncipe Dobrotek procuraram-na por toda parte, chamando pelo seu nome e fazendo perguntas a todos que a conheciam. Por fim, o rei em desespero declarou que, se o príncipe Dobrotek não trouxesse sua filha de volta, ele destruiria seu reino e o mataria. E aos outros príncipes presentes ele prometeu que qualquer um que trouxesse Pietnotka de volta a tomaria como esposa e receberia metade de seu reino. Então, sem perda de tempo, todos montaram seus cavalos e partiram em todas as direções.

O príncipe Dobrotek, dominado pela dor e consternação, viajou três dias sem comer, beber ou dormir. Na noite do terceiro dia, estava tão exausto que parou o cavalo em um campo para descansar um pouco. De repente, ele ouviu gritos, como se alguém estivesse sentindo muita dor, e, olhando em volta, viu uma coruja enorme rasgando uma lebre com suas garras. O príncipe pegou a primeira coisa dura que lhe chegou à mão, imaginando ser uma pedra, mas na verdade se tratava de uma caveira, e, atirando o objeto contra a coruja, matou o pássaro com um só golpe. A lebre resgatada correu até ele e, agradecida, lambeu suas mãos e depois fugiu. Mas o crânio humano falou com ele e disse:

— Príncipe Dobrotek, aceite meus agradecimentos pela boa ação que praticaste. Eu pertencia a um homem infeliz que tirou a própria vida e, por esse crime de suicídio, fui condenado a rolar na lama até o dia em que servisse para salvar a vida de uma criatura de Deus. Fui chutado por setecentos e setenta anos, esfacelei-me miseravelmente na terra, sem despertar a compaixão de um único indivíduo. Você foi o responsável por me libertar, pois me usou para salvar a vida daquela pobre lebre. Em troca dessa gentileza, lhe ensinarei como chamar um cavalo maravilhoso, que me pertenceu durante toda a vida. Ele será capaz de ajudá-lo de milhares de maneiras diferentes, e, quando precisar dele, você só terá de se dirigir ao pântano sem que ninguém o veja e dizer:

"Cavalo malhado com crina de ouro,
Cavalo Maravilha! Venha até mim.

Não andes pela terra, porque me disseram

Você voa como os pássaros acima da terra e do mar."

Então concluiu:

— Finalize seu ato de misericórdia enterrando-me aqui, para que eu descanse até o dia do julgamento. Então vá em paz e faça bom proveito do meu presente.

O príncipe cavou um buraco no pé de uma árvore e enterrou respeitosamente o crânio, repetindo orações pelos mortos. Assim que terminou, viu uma pequena chama azul sair do crânio e subir em direção ao céu: era a alma do morto que subia ao encontro dos anjos.

O príncipe fez o sinal da cruz e retomou sua jornada. Depois de percorrer o pântano, parou e, sem olhar para trás, tentou pronunciar as palavras mágicas, dizendo:

"Cavalo malhado com crina de ouro,

Cavalo Maravilha! Venha até mim.

Não andes pela terra, porque me disseram

Você voa como os pássaros acima da terra e do mar."

Então, em meio a relâmpagos e trovões, surgiu um cavalo. Um cavalo, eu disse? Ora, ele era muito mais do que isso! Era um verdadeiro milagre da criação! Era leve como o ar, com corpo malhado e crina dourada. Chamas saíam de suas narinas e faíscas de seus olhos. Colunas de vapor saíam de sua boca e nuvens de fumaça de seus ouvidos. Ele parou diante do príncipe e disse com voz humana:

— Quais são suas ordens, príncipe Dobrotek?

— Estou com um sério problema — respondeu o príncipe —, e ficarei muito feliz se puder me ajudar.

Então ele contou tudo o que havia acontecido.

E o cavalo disse:

— Entre pela minha orelha esquerda e saia pela orelha direita.

O príncipe obedeceu, entrou pela orelha esquerda e, quando saiu pela orelha direita, estava vestindo uma armadura esplêndida. A couraça dourada, o capacete de aço incrustado em ouro, a espada e a clava fizeram dele um verdadeiro guerreiro. Além disso, ele sentia-se dotado de uma força e uma bravura sobre-humanas. Quando bateu o pé no chão e gritou, a terra estremeceu e ecoou tão forte quanto um trovão, fazendo as folhas caírem das árvores.

— O que devemos fazer? Para onde vamos? — ele perguntou.

O cavalo respondeu:

— Sua noiva, a princesa Pietnotka, foi levada pelo Anão de Barba Longa, cuja corcunda pesa cento e vinte e sete quilos. Esse poderoso mago deve ser derrotado, mas ele mora longe daqui, e nada pode tocá-lo ou feri-lo, exceto a afiada espada de ferro que pertence ao próprio irmão, um monstro com a cabeça e os olhos de um basilisco. A primeira coisa a fazer é atacar o irmão.

O príncipe Dobrotek montou o cavalo malhado, coberto de adornos dourados, e partiram imediatamente, atravessando montanhas, penetrando florestas, cruzando rios; e era tão leve o passo do cavalo que ele galopou sobre a grama sem dobrar uma única folha e por estradas arenosas sem levantar um grão de areia. Finalmente, chegaram a uma vasta planície, coberta de ossos humanos. Eles pararam em frente a uma enorme montanha em movimento, e o cavalo disse:

— Príncipe, essa montanha em movimento que você vê diante de seus olhos é a cabeça do Monstro com Olhos de Basilisco, e os ossos que embranquecem o chão são os esqueletos de suas vítimas, então tenha cuidado com os olhos que causam a morte. O calor do sol do meio-dia fez o gigante adormecer, e a espada com a lâmina-que-nunca-falha está diante dele. Curve-se e deite-se sobre o meu pescoço até chegarmos perto o suficiente, então pegue a espada e você não terá mais nada que temer. Sem a espada, o monstro não apenas será incapaz de feri-lo, como, ao contrário, ele próprio ficará completamente à sua mercê.

O cavalo, então, aproximou-se silenciosamente da enorme criatura, o príncipe se curvou e rapidamente pegou a espada. Então, erguendo-se das costas de seu cavalo, gritou um "Urra!" tão alto que poderia acordar os mortos. O gigante levantou a cabeça, bocejou e voltou os olhos sedentos de sangue para o príncipe; mas, vendo a espada em sua mão, ficou surpreso e disse:

— Cavaleiro, é o desprezo pela vida que o traz aqui?

— Não se gabe — respondeu o príncipe —, você está sob meu poder. Seu olhar já perdeu o encanto mágico, e em breve você morrerá por esta espada. Mas, primeiro, diga-me quem você é.

— É verdade, príncipe, estou em suas mãos, mas seja generoso, mereço sua misericórdia. Sou um cavaleiro pertencente à raça dos gigantes, e, se não fosse pela maldade de meu irmão, eu estaria vivendo em paz. Ele é o anão horrível, com a grande corcunda e a barba de dois metros de comprimento. Ele tinha ciúmes de minha bela figura e tentou me ferir. Você deve saber que toda a força dele, que é extraordinária, reside em sua barba, que, por sua vez, só pode ser cortada com a espada que você segura na mão. Um dia, ele veio até mim e disse: "Querido irmão, peço que me ajude a descobrir a espada afiada que foi escondida na terra por um mago. Ele é nosso inimigo, e só ele pode nos destruir". Tolo, eu acreditei nele e, por meio de um grande carvalho, subi a montanha e encontrei a espada. Então, discutimos sobre qual de nós deveria ficar com ela e, finalmente, meu irmão sugeriu que parássemos de brigar e decidíssemos na sorte. "Cada um de nós encosta o ouvido no chão, e a espada pertencerá àquele que primeiro ouvir os sinos de uma igreja", disse ele. Coloquei minha orelha no chão imediatamente e meu irmão traiçoeiramente cortou minha cabeça com a espada. Meu corpo, deixado ao relento, transformou-se em uma grande montanha, que agora está coberta de florestas. Quanto à minha cabeça, ela representa a prova de vida e força contra todos os perigos e permanece aqui desde então para assustar todos os que tentam tirar a espada de mim. Agora, príncipe, eu imploro, use a espada para cortar a barba de meu perverso irmão; mate-o e volte aqui para pôr um fim ao meu sofrimento. Morrerei feliz se morrer vingado.

— Assim será feito e muito em breve, prometo a você — respondeu o príncipe.

O príncipe ordenou que o Cavalo Malhado com Crina Dourada o levasse ao reino do Anão de Barba Longa. Chegaram ao portão do jardim no exato momento em que o anão encontrara a princesa Pietnotka e corria atrás dela. A trombeta de guerra, desafiando-o a lutar, o obrigara a deixá-la, o que ele fez depois de colocar o chapéu invisível em sua cabeça.

Enquanto o príncipe aguardava a resposta ao seu desafio, ouviu um grande ruído vindo das nuvens e, olhando para o alto, viu o anão preparando-se para atingi-lo. Mas ele errou o alvo e caiu no chão com tanta força que seu corpo ficou meio enterrado na terra. O príncipe agarrou o anão pela barba e imediatamente a cortou com a afiada espada.

Então, ele prendeu o anão na sela, colocou a barba no capacete e entrou no palácio. Quando os criados viram que ele realmente se apossara da terrível barba, abriram todas as portas para que pudesse passar. Sem perder um segundo sequer, ele começou a procurar pela princesa Pietnotka. Por muito tempo ele procurou, mas não conseguiu encontrá-la, e já estava entrando em desespero, quando acidentalmente esbarrou nela, derrubando o chapéu invisível. Ele viu sua adorável noiva adormecida e, sendo incapaz de despertá-la, colocou o chapéu no bolso, pegou-a nos braços e, montando seu cavalo, partiu para retornar ao Monstro com os Olhos de Basilisco. O gigante engoliu o anão de uma só vez, e o príncipe cortou sua cabeça em mil pedaços, espalhando-os por toda a planície.

Ele, então, retomou sua jornada e, ao chegar ao pântano, o cavalo malhado parou e disse:

— Príncipe, aqui devemos nos despedir. Você não está longe de casa, seu próprio cavalo o aguarda; mas, antes de sair, entre pela minha orelha direita e saia pela esquerda.

O príncipe fez isso e saiu sem a armadura e vestido como quando Pietnotka o vira pela última vez.

O cavalo malhado desapareceu e Dobrotek assobiou para o próprio cavalo, que veio em sua direção bastante satisfeito por vê-lo novamente. Eles imediatamente partiram para o palácio do rei.

Mas a noite chegou antes que eles pudessem alcançar seu destino.

O príncipe deitou a princesa adormecida sobre a grama e, depois de cobri-la cuidadosamente para mantê-la aquecida, ele próprio adormeceu. Por acaso, um cavaleiro, um de seus pretendentes, passou por ali. Vendo Dobrotek dormindo, ele sacou a espada e o esfaqueou; então colocou a princesa em seu cavalo e logo chegou ao palácio do rei, onde se dirigiu ao pai de Pietnotka com estas palavras:

— Aqui está sua filha, a quem eu agora reivindico como minha esposa, pois fui eu quem a resgatou. Ela foi levada por um terrível feiticeiro que lutou comigo por três dias e três noites. Mas eu o derrotei e trouxe a princesa de volta em segurança.

O rei ficou muito feliz ao vê-la novamente, mas, ao constatar que mesmo seus mais ternos esforços eram incapazes de despertá-la, ele quis saber o motivo daquilo.

— Isso eu não posso dizer-lhe — respondeu o impostor. — Você a vê como a encontrei.

Enquanto isso, o pobre príncipe Dobrotek, gravemente ferido, estava recuperando lentamente a consciência, mas sentia-se tão fraco que mal conseguiu pronunciar as palavras:

"Cavalo malhado com crina de ouro,

Cavalo Maravilha! Venha até mim.

Não andes pela terra, porque me disseram

Você voa como os pássaros acima da terra e do mar."

Imediatamente uma nuvem brilhante apareceu, e do meio dela surgiu o cavalo mágico. Como ele já sabia tudo o que havia acontecido, partiu imediatamente para a Montanha da Vida Eterna. Lá recolheu os três tipos de água: a Água que Dá Vida, a Água que Cura e a Água que Fortalece. Retornando para junto do príncipe, ele borrifou primeiro a Água que Dá Vida, e instantaneamente o corpo, que havia esfriado, voltou a esquentar, e o sangue começou a circular.

A Água que Cura curou a ferida, e a Água que Fortalece teve efeito tão poderoso que ele abriu os olhos e gritou:

— Oh, quão bem eu dormi!

— Você estava dormindo o sono eterno — respondeu o cavalo malhado. — Um de seus rivais o esfaqueou mortalmente e levou Pietnotka, a quem ele finge ter resgatado. Mas não se preocupe, ela ainda dorme, e ninguém poderá despertá-la, a não ser você, e isso você deverá fazer tocando-a com a barba do anão. Vá agora e seja feliz.

O corajoso corcel desapareceu em meio a um redemoinho de vento, e o príncipe Dobrotek seguiu seu caminho. Ao se aproximar da capital, ele a viu cercada por um grande exército estrangeiro; parte dela já estava tomada, e os habitantes pareciam implorar por misericórdia. O príncipe colocou o chapéu invisível e começou a golpear para a direita e para a esquerda com a espada afiada. Com tanta fúria ele atacou os inimigos, que estes caíram mortos por todos os lados, como árvores sendo derrubadas. Assim que destruiu todo o exército, ele seguiu, ainda invisível, para o palácio, onde ouviu o rei expressar todo o seu espanto ao ver o inimigo retirando-se sem lutar.

— Onde está o bravo guerreiro que nos salvou? — disse sua majestade em voz alta.

Todos ficaram em silêncio, quando Dobrotek tirou o chapéu mágico e caiu de joelhos diante do monarca, dizendo:

— Fui eu, meu rei e pai, que derrotei e destruí o inimigo. Fui eu quem salvou a princesa, minha noiva. Enquanto retornava com ela, fui traiçoeiramente morto por um rival, que se apresentou diante de vossa majestade como seu salvador, mas ele o enganou. Leve-me à princesa, para que eu possa despertá-la.

Ao ouvir essas palavras, o impostor fugiu o mais rápido que pôde, e Dobrotek se aproximou da donzela adormecida. Ele tocou sua testa com a barba do anão, e ela imediatamente abriu os olhos, sorrindo e querendo saber onde estava.

O rei, tomado de alegria, beijou-a com carinho, e naquela mesma noite ela se casou com o devotado príncipe Dobrotek. O próprio rei levou-a ao altar, e ao genro deu metade de seu reino. Tão esplêndido foi o banquete do casamento, que nem os olhos viram nem os ouvidos ouviram falar de nada igual.

SIVKA-BURKA

Ilustração para cartão postal do conto "Sivka-Burka".

Há muito tempo vivia um homem que tinha três filhos. Os dois filhos mais velhos cuidavam da fazenda e gostavam de roupas finas. Mas o caçula, Ivan, o Tolo, gostava de caminhar pela floresta para colher cogumelos, e, quando em casa, passava a maior parte do tempo sentado por sobre um grande fogão que havia na cozinha. O pai ficou doente e ordenou a seus filhos:

— Quando eu morrer, tragam-me pão em meu túmulo por três noites seguidas.

Então ele morreu e foi enterrado. Naquela mesma noite, o filho mais velho deveria ir ao túmulo, como o pai ordenara. Mas ou ele era preguiçoso, ou tinha medo, pois disse ao seu irmão mais novo:

— Ivan, tome meu lugar esta noite e vá ao túmulo de nosso pai. Vou comprar um pão de gengibre para que você leve.

Ivan concordou, embalou um pouco de pão e foi ao túmulo de seu pai. Lá ele sentou-se e esperou. À meia-noite o túmulo se abriu, seu pai levantou-se e disse:

— Quem está aí? É você, meu filho mais velho? Diga-me o que está acontecendo no mundo. Os cães latem ou os lobos uivam?

— Sim, sou eu, seu filho — respondeu Ivan. — Mas tudo está calmo no mundo.

O pai comeu o pão que Ivan trouxera e deitou-se novamente em sua sepultura. Ivan voltou para casa, colhendo cogumelos enquanto caminhava. Seu irmão mais velho perguntou-lhe:

— Você viu nosso pai?

— Sim.

— Ele comeu o pão?

— Sim. Ele comeu tudo o que queria.

Na noite seguinte, o segundo irmão deveria ir ao túmulo. Mas ou ele era preguiçoso, ou tinha medo, pois disse:

— Ivan, você irá até nosso pai em meu lugar. Vou lhe fazer um par de sapatos se você for.

— Tudo bem — concordou Ivan.

Então Ivan empacotou um pouco de pão, foi ao túmulo de seu pai, sentou-se e esperou. À meia-noite o túmulo se abriu, seu pai levantou-se e perguntou:

— Quem está aí? É você, meu segundo filho? Diga-me o que está acontecendo no mundo. Os cães latem ou os lobos uivam?

— Sim, sou eu, seu filho — respondeu Ivan — Mas tudo está calmo no mundo.

Seu pai comeu tanto pão quanto queria e deitou-se novamente em sua sepultura. Então Ivan foi para casa, colhendo cogumelos no caminho. Quando chegou a casa, o segundo irmão perguntou-lhe:

— Nosso pai comeu o pão?

— Sim, ele comeu tudo o que queria.

Na noite seguinte, foi a vez de Ivan ir até o túmulo. Mas ele disse a seus irmãos:

— Eu estive no túmulo de nosso pai nas duas últimas noites. Agora um de vocês irá, enquanto eu descanso.

Mas seus irmãos responderam:

— Ora, Ivan, você conhece bem o caminho agora; seria melhor você ir.

— Oh, tudo bem — concordou Ivan.

Ele empacotou um pouco de pão e partiu. À meia-noite o túmulo se abriu e seu pai se levantou.

— Quem está aí? — ele perguntou. — É você, meu filho mais novo? Diga-me o que está acontecendo no mundo. Os cães estão latindo ou os lobos uivando?

— Sim, é Ivan. Mas tudo está calmo no mundo — disse o filho mais novo.

O pai comeu o pão e depois disse:

— Você é o único filho que fez o que eu pedi. Você não teve medo de vir a mim em meu túmulo por três noites consecutivas. Agora vá para o campo aberto e chame: 'Sivka-

-Burka, cavalo castanho, cavalo mágico, venha sempre que eu chamar'. Um cavalo virá galopando até você. Entre por sua orelha direita e saia pela esquerda, e você se transformará em um lindo jovem. Monte o cavalo e cavalgue nele.

Ivan agradeceu ao pai e foi para casa, colhendo cogumelos pelo caminho. Quando chegou, seus irmãos lhe perguntaram:

— Você viu o pai?

— Sim.

— Ele comeu o pão?

— Ele comeu tudo o que queria e ordenou que não retornássemos mais lá.

Mas Ivan não contou nada sobre o cavalo. Naqueles dias, o czar emitiu um decreto: todos os jovens que não fossem casados deveriam reunir-se no pátio do czar. Sua filha, uma jovem de beleza incomparável, ordenara que uma torre da altura de doze troncos e erguida sobre doze pilares fosse construída para si. Ela iria sentar-se em uma pequena janela no alto da torre e esperaria lá até que um jovem cavalgando um cavalo saltasse até ela e a beijasse nos lábios. Então, independentemente de sua origem, o czar casaria sua linda filha com esse cavaleiro e daria metade de seu reino como dote. Os irmãos de Ivan ouviram falar do decreto do czar e disseram um ao outro:

— Vamos tentar a nossa sorte.

Assim, eles alimentaram seus cavalos com aveia, vestiram suas melhores roupas e pentearam os cabelos. Ivan, sentado no fogão, disse-lhes:

— Irmãos, levem-me com vocês para tentar a minha sorte.

— Seu tolo, continue sentado no fogão, ou vá para a floresta colher cogumelos — responderam os irmãos. — E não nos atrapalhe.

Os dois irmãos mais velhos montaram seus melhores cavalos, agitaram seus chapéus alegremente, assobiaram, gritaram e foram embora, fazendo a poeira subir até as nuvens. Mas Ivan pegou um freio e saiu para o campo aberto. Lá, ele chamou como seu pai o havia instruído:

— Sivka-Burka, cavalo castanho, cavalo mágico! Venha sempre que eu chamar.

Imediatamente um cavalo veio galopando em sua direção. A terra tremia sob seus cascos, chamas saíam de suas narinas, fumaça subia em colunas de seus ouvidos. Parou diante de Ivan como se estivesse enraizado no chão e perguntou:

— Quais são suas ordens?

Ivan acariciou o cavalo, contornou-o, subiu por sua orelha direita, saiu pela esquerda e transformou-se no jovem mais deslumbrante que se pode imaginar. Então ele montou no cavalo e partiu na direção do palácio do czar. Enquanto o cavalo castanho galopava, a terra tremia sob seus cascos; ele voou sobre colinas e vales, através de bosques e florestas até chegar ao seu destino.

Quando Ivan entrou no pátio do czar, encontrou um grande número de jovens já reunidos. No centro do pátio, uma torre alta, com doze troncos de altura, erguia-se sobre doze pilares e, no topo, a princesa de beleza incomparável estava sentada a uma pequena janela.

O czar veio até o pátio e disse:

— Se algum de vocês, rapazes, puder saltar com seu cavalo até aquela pequena janela e beijar minha filha nos lábios, eu a concederei como esposa, com metade do meu reino como dote.

Logo os jovens começaram a saltar, um após outro. Mas a janela era muito alta, e ninguém conseguiu alcançá-la. Os irmãos de Ivan também tentaram, mas eles não chegaram nem à metade da torre. Por fim, foi a vez de Ivan fazer sua tentativa.

Gritando e assobiando, ele instou o cavalo castanho a saltar, mas falhou pela altura equivalente a dois troncos apenas. Ele virou o cavalo, saltou pela segunda vez e falhou por apenas um tronco. Então ele virou o cavalo novamente, circulou o pátio, instou o animal e deu o salto a galope. Como uma chama, ele voou até a pequena janela e beijou a princesa nos lábios quando passou por ela. A princesa o atingiu na testa com o anel que tinha no dedo, deixando sua marca. Vendo que Ivan conseguira, todos gritaram: "Segure-o!".

Mas Ivan já havia galopado para longe, e não estava em lugar algum. Galopou para o campo aberto, embrenhou-se pela orelha esquerda do cavalo e saiu pela direita e voltou a ser Ivan, o Tolo. Ele deixou o cavalo partir e voltou para casa, colhendo cogumelos no caminho. Enrolou um pano em sua a testa para esconder a marca da princesa, subiu no fogão e se esticou. Quando seus irmãos chegaram a casa, contaram-lhe tudo o que haviam visto.

— Havia alguns jovens esplêndidos lá — disseram eles. — Mas um superou a todos. A galope, ele pulou e beijou a princesa nos lábios. Vimos a direção de onde ele viera, mas ninguém sabe para onde ele foi.

De cima do fogão, Ivan disse:

— Mas não seria eu aquele lindo jovem?

— Ivan, você é um tolo e fala como um tolo. Sente-se no fogão e coma seus cogumelos —seus irmãos responderam com raiva.

Então Ivan retirou o pano e revelou o local em sua testa onde a princesa havia deixado sua marca. No mesmo instante a sala encheu-se de luz. Seus irmãos ficaram alarmados e gritaram com ele:

— O que está fazendo, seu tolo? Você vai incendiar a casa.

Então ele enrolou o pano na testa novamente. No dia seguinte, o czar convocou todos os seus príncipes e nobres, e até pessoas comuns, ricas e pobres, velhas e jovens, para um banquete. Os irmãos de Ivan também se prepararam para comparecer ao banquete. Então Ivan pediu a eles:

— Levem-me com vocês.

— Você só faria as pessoas rirem, idiota! — responderam. — Sente-se no fogão e coma seus cogumelos.

Os dois irmãos montaram em seus cavalos e foram embora, mas Ivan partiu a pé atrás deles. Ele chegou ao palácio do czar a tempo para o banquete e sentou-se em um canto distante. A princesa começou a ir de um convidado para outro, oferecendo a cada um uma tigela de hidromel e olhando para ver se alguém tinha a marca dela na testa. Ela passou por todos os convidados e finalmente chegou a Ivan sentado no canto. Quando ela se aproximou dele, seu coração de repente bateu mais rápido. Ela olhou para ele; ele estava coberto de sujeira e seus cabelos estavam desgrenhados. No entanto, a bela princesa perguntou-lhe:

— De quem você é filho? De onde você é? Por que sua testa está enfaixada?

— Eu machuquei minha testa — ele respondeu.

Ela retirou o pano de sua testa e imediatamente todo o palácio ficou iluminado. Então ela gritou:

— Essa é a minha marca! Aqui está meu marido!

O czar olhou para Ivan e disse:

— Como pode ser esse o marido destinado a você? Ele está coberto de fuligem.

Mas Ivan disse-lhe:

— Deixe-me sair e me lavar.

O czar deu sua permissão. Ivan saiu para o pátio e chamou como seu pai havia instruído:

— Sivka-Burka, cavalo castanho, cavalo mágico! Venha sempre que eu chamar.

Imediatamente Sivka-Burka veio galopando em sua direção, fazendo o chão tremer sob seus cascos. Chamas fluíam de suas narinas, fumaça subia em colunas de suas orelhas. Ivan se arrastou pela orelha direita, saiu pela orelha esquerda e transformou-se no jovem mais deslumbrante que já se viu. Todas as pessoas gritaram de espanto. O czar deu um banquete e todos compareceram ao casamento.

LÁGRIMAS DE PÉROLAS

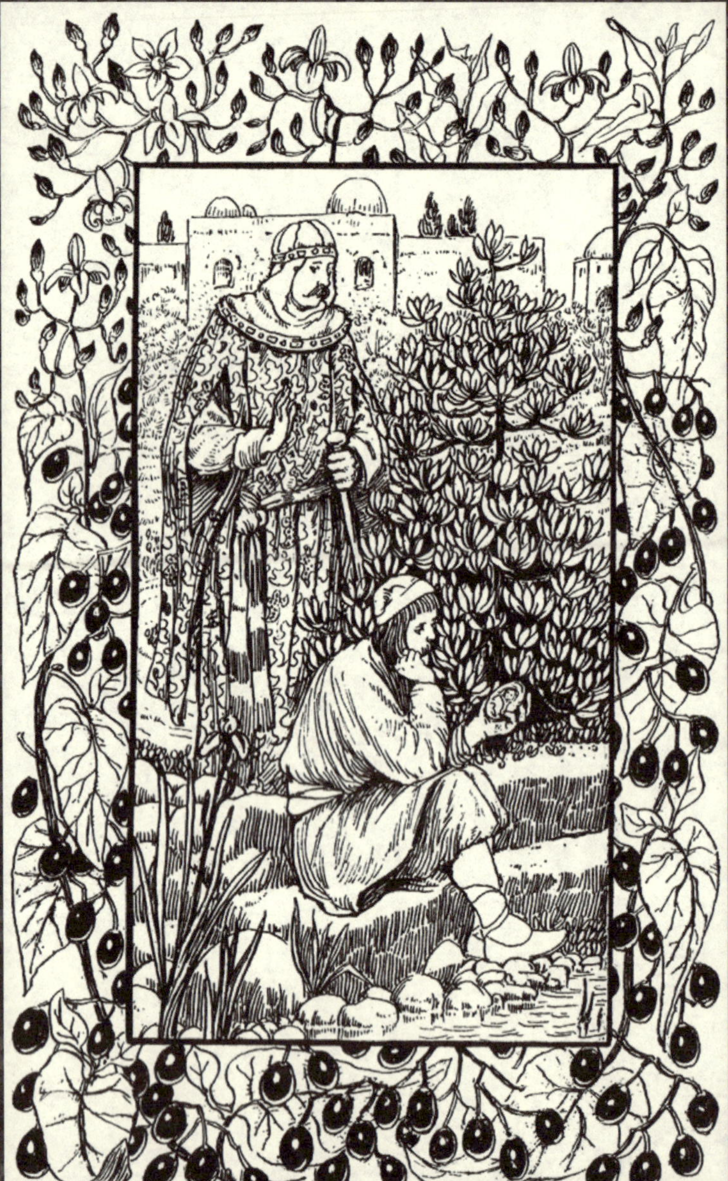

Era uma vez uma viúva muito rica, com quem viviam três filhos: um belo enteado, a irmã deste, possuidora de uma beleza incomparável, e sua própria filha, igualmente bonita.

Todas as três crianças viviam sob o mesmo teto, mas, como costuma acontecer com os padrastos, elas eram tratadas de maneira muito diferente. A filha da própria viúva era mal-humorada, desobediente, vaidosa e fuxiqueira. Ainda assim, ela sempre recebia muito carinho e os melhores elogios. Os enteados, por outro lado, eram tratados com muita severidade. O menino, bondoso e atencioso, era obrigado a fazer todo tipo de trabalho desagradável, era constantemente repreendido e tido como inútil. A enteada, que não apenas era demasiado bonita, mas também tão doce quanto um anjo, era considerada culpada em todas as ocasiões e levava uma vida miserável.

É natural amar os próprios filhos mais do que aos dos outros, mas o sentimento de amor deve ser governado pelas leis da justiça. A mulher perversa mantinha-se cega diante dos defeitos da filha que amava, e desprezava as qualidades dos filhos de seu marido, a quem odiava.

Quando de mau humor, a megera gostava de se vangloriar da bela fortuna que pretendia obter para a própria filha, sem se importar se os enteados ficassem desprovidos de recursos. Mas, como diz o velho provérbio, o homem propõe, mas Deus dispõe, e as coisas não aconteceriam exatamente como ela planejava.

Em uma certa manhã de domingo, antes de ir à igreja, a enteada foi ao jardim para colher algumas flores e decorar o altar. Ela colhia algumas rosas, quando viu três jovens vestidos com roupas brancas deslumbrantes aproximando-se dela. Eles sentaram-se em um banco sombreado por arbustos, enquanto, perto deles, um velho homem pedia esmolas.

Ela sentiu-se um pouco nervosa diante dos estranhos, mas, quando viu o velho, pegou o último centavo da bolsa e deu a ele. Ele agradeceu e, erguendo a mão sobre a cabeça da menina, disse aos homens:

— Esta menina órfã é piedosa, paciente mesmo diante dos infortúnios e gentil com os pobres, com quem compartilha o pouco que tem. Digam-me o que vocês desejam para ela.

O primeiro disse:

— Eu desejo que, quando ela chorar, suas lágrimas transformem-se em delicadas pérolas.

— E eu — respondeu o segundo — desejo que, quando ela sorrir, lindas rosas saiam por entre seus lábios.

— Meu desejo — disse o terceiro — é que, sempre que ela mergulhar as mãos na água, nela surjam peixes dourados reluzentes.

— Todos esses dons devem pertencer somente a ela — acrescentou o velho. E, ao dizer essas palavras, eles desapareceram.

A jovem, cheia de temores, caiu de joelhos em oração. Mas, aos poucos, seu coração foi se enchendo de alegria e paz, e ela voltou para casa. Ela mal havia cruzado a porta, quando a madrasta se adiantou e, olhando-a com severidade, disse:

— Bem, onde você esteve?

A pobre criança começou a chorar e, de repente, maravilha das maravilhas, em vez de lágrimas, pérolas caíram de seus olhos.

Não obstante sua raiva, a madrasta pegou-as o mais rápido que pôde, enquanto a menina sorria e a observava. E, enquanto sorria, rosas caíram de entre seus lábios e sua madrasta não cabia em si de felicidade diante daquelas maravilhas.

A menina foi então colocar as flores que havia colhido na água e, enquanto mergulhava os dedos na água para arrumar as flores, pequenos peixinhos dourados apareceram no vaso.

A partir daquele dia, aquelas maravilhas se repetiram com frequência; lágrimas transformavam-se em pérolas, sorrisos espalhavam rosas e a água, mesmo que ela mergulhasse apenas a ponta dos dedos, ficava repleta de peixinhos dourados.

A madrasta controlou sua agressividade, tornando-se mais gentil, enquanto pouco a pouco tentava extrair de sua enteada o segredo daqueles dons.

Assim, no domingo seguinte, pela manhã, ela enviou sua própria filha ao jardim para colher flores, sob o pretexto de serem para o altar. Depois de escolher algumas, ela viu os três jovens sentados no banco, enquanto perto deles estava o velhinho de cabelos brancos, pedindo esmolas. Ela fingiu ser tímida diante dos rapazes, mas, a pedido do mendigo, tirou do bolso uma moeda de ouro e deu a ele, evidentemente, muito contra sua vontade. Ele colocou a moeda no bolso e, voltando-se para os companheiros, disse:

— Essa jovem é a filha mimada de sua mãe; ela é mal--humorada, desagradável e seu coração se endurece diante dos pobres. É fácil entender por que, pela primeira vez em sua vida, ela foi tão generosa. Digam-me que dons vocês gostariam que eu lhe concedesse.

O primeiro disse:

— Que suas lágrimas se transformem em lagartos.

— Que seu sorriso produza sapos hediondos — acrescentou o segundo.

— E, quando suas mãos tocarem a água, esta fique repleta de serpentes — disse o terceiro.

— Que assim seja! — exclamou o velho. E todos eles desapareceram.

A pobre menina ficou aterrorizada e correu para contar à mãe o ocorrido. E foi assim que, a partir daquele dia, toda vez que a jovem sorria, sapos hediondos saíam de sua boca, suas lágrimas eram transformadas em lagartos, e a água que ela tocava ficava imediatamente cheia de serpentes.

A madrasta estava desesperada, ela amava ainda mais a filha e odiava ainda com mais intensidade os órfãos. De fato, ela os perseguia a tal ponto que o garoto não suportou mais e quis tentar a sorte em outro lugar. Então, ele arrumou seus pertences em uma trouxa, despediu-se amorosamente de sua irmã, colocando-a sob os cuidados de Deus, e saiu de casa. O grande mundo estava ali diante dele, mas que caminho seguir ele não sabia. Dirigindo-se ao cemitério onde seus pais jaziam lado a lado, ele chorou e orou, beijou a terra que os cobria três vezes e partiu para sua jornada.

Naquele momento, sentiu um objeto duro por entre as dobras de sua túnica. Pensando no que poderia ser, ele colocou a mão e encontrou um retrato encantador de sua querida irmã, circundado por pérolas, rosas e peixes dourados. Tão grande foi seu espanto, que ele mal podia acreditar em seus olhos. Mas ele ficou muito feliz e beijou a imagem várias vezes. Em seguida, olhou para o cemitério uma vez mais, fez o sinal da cruz e partiu.

Depois de vivenciar muitas aventuras, mas nenhuma delas de grande importância, o rapaz chegou à capital de um reino à beira-mar, e lá conseguiu trabalho como auxiliar de jardineiro no palácio real, com boa comida e salário.

Mesmo vivendo tempos mais prósperos, ele não esquecia sua infeliz irmã, pois se sentia muito desconfortável com a vida que ela levava. Quando tinha alguns momentos para si mesmo, ele sentava-se em algum lugar tranquilo e olhava para o retrato dela com o coração partido e olhos cheios de lágrimas. O retrato era uma imagem fiel dela, e ele a considerava um presente de seus pais.

O rei havia notado esse hábito do rapaz e, um dia, enquanto estava sentado perto de um riacho, olhando para a foto, o monarca aproximou-se silenciosamente por trás dele e olhou por cima de seu ombro para ver o que ele olhava com tanta atenção.

— Dê-me esse retrato — disse o rei.

O jovem entregou-o a ele. O rei examinou a imagem de perto, admirando-a encantado, e disse:

— Nunca vi um rosto tão belo em toda a minha vida, nem jamais sonhei com tanta beleza. Venha, diga-me, a jovem deste retrato está viva?

O rapaz começou a chorar e disse-lhe que era a imagem viva de sua irmã, que havia pouco tempo recebera um sinal especial da graça de Deus. Suas lágrimas transformavam-se em pérolas, seus sorrisos em rosas e, ao toque de suas mãos, a água produzia belos peixes dourados.

O rei ordenou que ele escrevesse imediatamente para sua madrasta e pedisse que ela enviasse sua adorável enteada para a capela do palácio, onde o rei estaria esperando para casar-se com ela. A carta também continha promessas de favores especiais da realeza.

O rapaz escreveu a carta, que o rei enviou por um mensageiro especial.

Quando a madrasta recebeu a carta, decidiu não falar nada para a enteada, mas mostrou-a à própria filha e conversaram sobre o assunto. Então ela aprendeu a arte da feitiçaria com uma bruxa e, tendo descoberto tudo o que era necessário, partiu com as duas meninas. Ao se aproximar da capital, a perversa empurrou sua enteada para fora da carruagem e repetiu algumas palavras mágicas sobre a pobre moça caída no chão. Ao proferir o encantamento, a enteada ficou muito pequena e coberta de penas, transformando-se em seguida em um pato selvagem. Ela começou a grasnar e foi em busca de água, como fazem os patos, nadando para longe. A madrasta se despediu com as seguintes palavras:

— Pela força do meu ódio, minha vontade será cumprida. Nade pelas margens na forma de um pato e regozije-se com sua liberdade. Durante esse período, minha filha tomará a sua forma, se casará com o rei e gozará do destino e da boa sorte destinados a você.

Ao pronunciar essas palavras, sua filha foi favorecida com toda a graça e beleza de sua infeliz meia-irmã. As duas continuaram sua jornada, chegando à capela real na hora marcada. O rei as recebeu com todas as honras, enquanto a mulher enganadora entregou sua própria filha, que o noivo acreditava ser a mesma jovem da bela imagem. Após a cerimônia, a mãe foi embora carregada de presentes. O rei, enquanto olhava para sua jovem esposa, não conseguia entender por que não sentia por ela a mesma simpatia e admiração que sentira pelo retrato com o qual ela tanto se parecia. Mas nada podia ser modificado agora; o que estava feito, estava feito. Então, ele admirou a beleza dela e ansiava pelo prazer de ver pérolas caírem de seus olhos, rosas de seus lábios e peixes dourados ao toque de seus dedos na água.

Durante o banquete do casamento, a noiva recém-casada distraiu-se e sorriu para o marido; imediatamente vários sapos hediondos escaparam de seus lábios. O rei, tomado de horror e nojo, correu para longe dela e, ao ver tanta repulsa, ela começou a chorar, mas, em vez de pérolas, lagartos caíram de seus olhos. Um serviçal ordenou que lhe trouxessem água para lavar as mãos, mas, assim que a jovem mergulhou as pontas dos dedos na tigela, ela ficou cheia de serpentes que sibilaram, contorceram-se e jogaram-se sobre os convidados do casamento. O pânico era geral, e uma cena de grande confusão se seguiu. Os guardas foram chamados e tiveram grande dificuldade para limpar o salão dos répteis nojentos.

O noivo se havia refugiado no jardim e, quando viu o jovem rapaz que ele acreditava tê-lo enganado vindo em sua direção, não conteve sua raiva e o golpeou com tanta força que ele caiu morto.

A rainha correu em desespero e, segurando o rei pela mão, disse:

— O que você fez? Você matou meu irmão inocente. Não é minha culpa, nem dele, se desde o casamento, por algum encantamento, perdi o maravilhoso dom que possuía. Esse mal passará com o tempo, mas o tempo nunca poderá restaurar a vida de meu querido irmão, filho de minha própria mãe.

— Perdoe-me, querida esposa; em um momento de irritação, pensei que ele tivesse me enganado e quis puni-lo, mas não pretendia matá-lo. Lamento profundamente, mas nada pode ser feito agora. Perdoe minha culpa, assim como perdoo a sua, com todo o meu coração.

— Você tem meu perdão, mas eu imploro que ordene que o irmão de sua esposa tenha um enterro honroso.

Seus desejos foram realizados, e o rapaz órfão, que havia falecido como seu irmão, foi colocado em um belo caixão. A capela estava coberta de preto e, à noite, um guarda foi colocado do lado de dentro e outro do lado de fora.

Por volta da meia-noite, as portas da igreja se abriram silenciosamente e, enquanto os guardas eram vencidos pelo sono, um lindo patinho entrou despercebido. Ele parou no meio do corredor, sacudiu-se e puxou as penas de seu corpo, uma a uma. Então, assumiu a forma da linda enteada, sua verdadeira irmã. Ela foi até o caixão do irmão, ficou olhando para ele e, enquanto olhava, chorou tristemente. Depois disso, ela vestiu-se com as penas novamente e saiu como um pato. Quando os guardas acordaram, ficaram surpresos ao encontrar grande quantidade de pérolas finas no caixão. No dia seguinte, disseram ao rei que as portas se abriram perto da meia-noite, que haviam sido vencidos pelo sono e que, ao acordarem, haviam encontrado um grande número de pérolas no caixão, mas não sabiam como chegaram lá. O rei ficou muito surpreso, especialmente com a aparência das pérolas, que deveriam ter sido produzidas pelas lágrimas de sua esposa. Na segunda noite, ele dobrou a guarda e reforçou a necessidade de vigilância.

À meia-noite, as portas se abriram novamente em silêncio, os soldados estavam dormindo e o mesmo patinho entrou e, despindo-se de suas penas, transformou-se na adorável donzela. Ela não pôde deixar de sorrir ao olhar para os soldados adormecidos, cujo número havia dobrado até onde ela pôde perceber, e, enquanto sorria, várias rosas caíram de seus lábios. Ao se aproximar do irmão, suas lágrimas caíram em torrentes, deixando uma profusão de finas pérolas no local. Depois de algum tempo, ela recolocou suas penas e deixou a capela como um pato. Quando os guardas acordaram, levaram as rosas e as pérolas ao rei. Ele ficou ainda mais surpreso ao ver rosas com pérolas, pois essas rosas deveriam ter caído dos lábios de sua esposa. Mais uma vez, ele aumentou o número de guardas e os ameaçou com a punição mais severa caso não permanecessem alertas a noite toda. Eles fizeram o possível para obedecer, mas em vão; eles não conseguiram vencer o sono. Quando acordaram, encontraram não apenas rosas e pérolas, mas pequenos peixes dourados nadando na água benta.

O rei espantado só pôde concluir que o sono deles era causado por magia. Na quarta noite, ele não apenas aumentou o número de soldados, mas, despercebido de todos, escondeu-se atrás do altar, onde pendurou um espelho, através do qual podia ver tudo o que se passava na capela, sem ser visto.

À meia-noite, as portas se abriram. Os soldados, sob a influência do sono, braços caídos ao longo do corpo, estavam deitados no chão. O rei manteve os olhos fixos no espelho e pôde ver um pequeno pato selvagem adentrar a capela. Era pequeno, de corpo arredondado e, ao ver os guardas adormecidos, avançou para o centro da nave e despiu-se de suas penas, transformando-se na jovem de beleza refinada mais uma vez.

O rei, tomado de alegria e admiração, teve um pressentimento de que essa era sua verdadeira noiva. Então, quando ela se aproximou do caixão, ele saiu silenciosamente de seu esconderijo, e com uma vela acesa ateou fogo às penas. Elas brilharam tão intensamente que os soldados despertaram de seu sono profundo. A jovem correu na direção do monarca, torcendo as mãos e chorando lágrimas de pérola.

— O que foi que você fez? — ela gritou. — Como posso agora escapar da vingança da minha madrasta? Foi por obra de sua magia que me transformei em um pato selvagem.

Depois de ouvir toda a história, o rei ordenou que alguns de seus soldados prendessem a esposa com quem se casara e a levassem para fora do reino. Ele enviou outros para prender a madrasta malvada e queimá-la como uma bruxa. Ambas as ordens foram prontamente executadas. Enquanto isso, a jovem retirou das dobras do vestido três garrafas pequenas, cheias de três tipos de água diferentes que ela trouxera do mar.

A primeira possuía a virtude de restaurar a vida. Ela a borrifou sobre o irmão e, imediatamente, o frio e a rigidez da morte desapareceram, a cor voltou ao seu rosto e o sangue vermelho quente escorreu de sua ferida. Sobre a ferida, ela derramou água da segunda garrafa, curando-a imediatamente. Quando ela fez uso do terceiro tipo de água, ele abriu os olhos com espanto e se atirou alegremente em seus braços.

O rei, extasiado com essa visão, conduziu os dois de volta ao palácio.

Então, em vez de um funeral, houve um casamento, para o qual um grande número de convidados foi prontamente chamado. Assim, a jovem órfã casou-se com o rei, enquanto o irmão se tornou um dos nobres de sua majestade. E a magnificência do banquete do casamento era maior do que qualquer coisa já vista ou ouvida.

A MORADA DOS DEUSES I – OS DOIS IRMÃOS

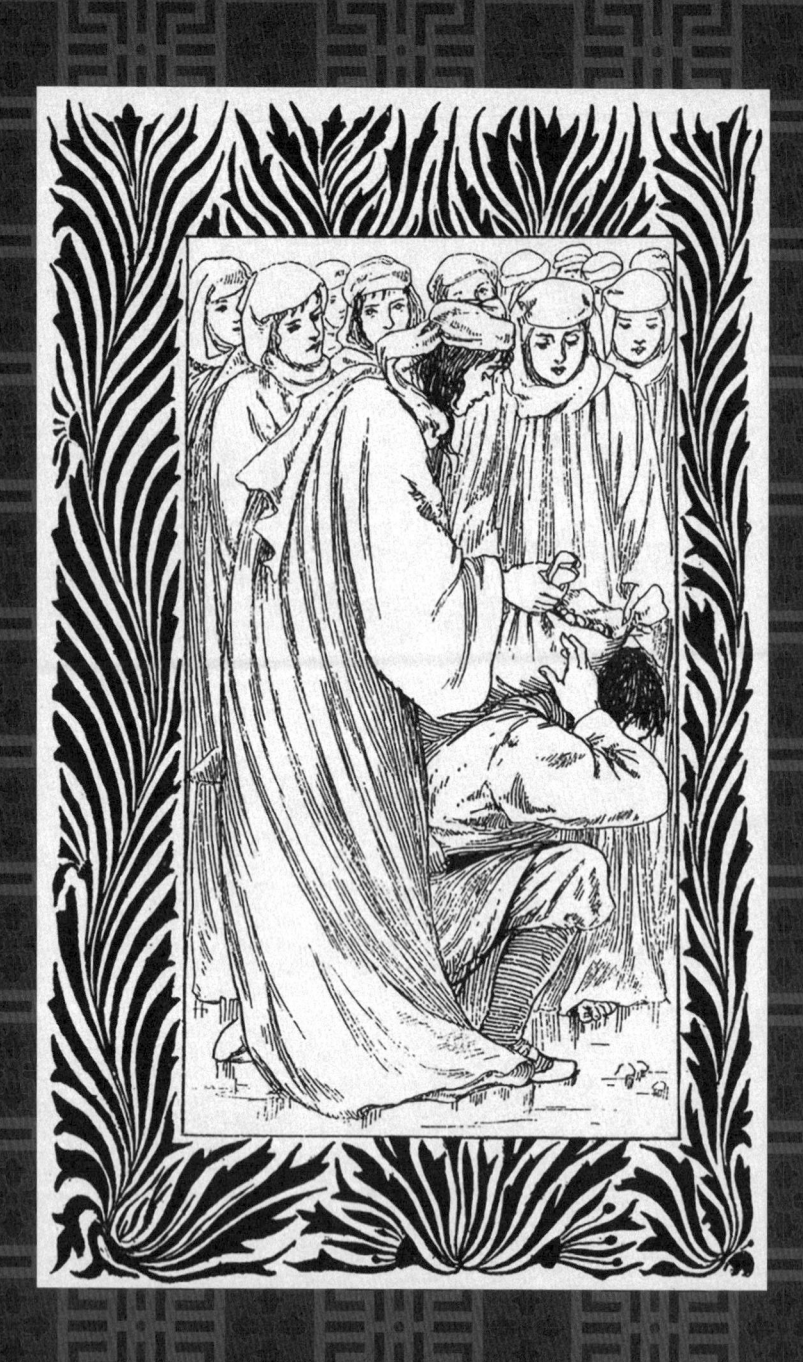

Eram uma vez dois irmãos cujo pai havia deixado uma pequena fortuna. O mais velho ficou muito rico, mas era cruel e perverso, enquanto o mais jovem era gentil e honesto. Ele era pobre e tinha muitos filhos, de modo que, às vezes, eles mal tinham um pedaço de pão para comer. Chegou o dia em que nem isso restou na casa e, então, ele foi até o irmão rico para pedir um pedaço de pão. Perda de tempo! Seu irmão rico apenas o chamou de mendigo e vagabundo, e bateu a porta na cara dele.

O pobre rapaz, depois dessa recepção brutal, não sabia para onde ir. Com fome, modestamente vestido e tremendo de frio, ele mal conseguia andar. Ele não tinha coragem de voltar para casa sem nada para as crianças, então foi em direção à floresta na montanha. Mas tudo o que encontrou foram algumas peras selvagens que caíram no chão e que ele teve de se contentar em comer. Mas o que ele deveria fazer para se aquecer? O vento leste, com sua rajada fria, castigava-o sem piedade.

— Para onde devo ir? — disse ele. — O que será de nós no chalé? Não há comida nem fogo, e meu irmão me expulsou de sua casa.

Foi então que ele se lembrou de ter ouvido que o topo da montanha à sua frente era feito de cristal e que nela havia um fogo que nunca cessava de queimar.

— Vou tentar encontrá-lo — disse ele —, e depois poderei me aquecer um pouco.

Ele continuou subindo cada vez mais alto até chegar ao topo, onde se assustou ao ver doze seres estranhos sentados em volta de uma grande fogueira. Ele parou por um momento, mas depois disse a si mesmo:

— O que tenho a perder? Por que eu deveria temer? Deus está comigo. Coragem!

Então ele avançou em direção ao fogo e, curvando-se respeitosamente, disse:

— Pessoas de bom coração, tenham pena da minha angústia. Sou muito pobre, ninguém se importa comigo, não possuo nem fogo em minha casa. Eu poderia me aproximar e me aquecer neste fogo?

Todos olharam gentilmente para ele, e um deles disse:

— Meu filho, sente-se conosco e aqueça-se.

Então ele sentou-se e pôde sentir o calor diretamente sobre ele. Mas não ousou falar enquanto os seres estavam em silêncio. O que mais o surpreendeu foi que eles trocavam de lugar, um após o outro, de tal maneira que cada um passava em volta do fogo e voltava ao seu lugar. Quando ele se aproximou do fogo, um velho calvo e com uma longa barba branca ergueu-se das chamas e se dirigiu a ele dizendo:

— Homem, não desperdice sua vida aqui. Retorne ao seu chalé, trabalhe e viva honestamente. Leve quantas brasas quiser, temos mais do que precisamos.

E, tendo dito isso, ele desapareceu. Então os doze encheram um saco grande com brasas e, colocando-o sobre os ombros do pobre homem, aconselharam-no a voltar para casa.

Agradecendo humildemente, ele partiu. Enquanto prosseguia, ele se perguntava por que as brasas não estavam quentes e por que não pesavam mais que um saco de papel. Ficou grato por poder ter fogo para aquecer sua família, mas imagine seu espanto ao chegar a casa e constatar que o saco continha tantas peças de ouro quanto brasas. Ele quase enlouqueceu de alegria pela posse de tanto dinheiro. De todo o coração, ele agradeceu àqueles que prontamente o tinham ajudado em sua necessidade.

Ele agora era rico e se alegrava de poder sustentar sua família. Curioso para descobrir quantas peças de ouro havia, e sem saber contar, ele enviou a esposa até o irmão rico para pedir um medidor de litros emprestado.

Desta vez, o irmão estava de mais bom humor, por isso emprestou o que lhe foi pedido, mas disse ironicamente:

— O que mendigos como vocês precisam medir?

A esposa respondeu:

— Nosso vizinho nos deve um pouco de trigo e queremos ter certeza de que ele nos devolverá a quantidade certa.

O irmão rico ficou intrigado e, suspeitando de que algo estivesse acontecendo, colocou um pouco de graxa dentro do medidor sem que a cunhada percebesse. O truque foi bem sucedido, pois, ao recuperá-lo, encontrou um pedaço de ouro grudado nele. Cheio de espanto, ele só podia supor que seu irmão havia se juntado a um bando de ladrões. Então ele correu para a casa de seu irmão e ameaçou levá-lo perante a Justiça da Paz se não confessasse de onde vinha o ouro. O pobre homem ficou perturbado e, temendo ofender seu irmão, contou a história de sua jornada à Montanha de Cristal.

O irmão mais velho, mesmo possuindo muito dinheiro, sentia inveja da boa sorte do irmão e ficou muito descontente ao descobrir que seu irmão ganhava a estima de todos pelo bom uso que fazia de sua riqueza. Assim, ele decidiu visitar a Montanha de Cristal.

— Posso ter tanta sorte quanto meu irmão — disse para si mesmo.

Ao chegar à Montanha de Cristal, encontrou os doze sentados em volta do fogo, como antes, e assim se dirigiu a eles:

— Peço a vocês, pessoas de bom coração, que permitam que eu me aqueça, pois está muito frio e eu sou pobre e sem-teto.

Mas um deles respondeu:

— Meu filho, a hora do teu nascimento foi favorável. Tu és rico, mas avarento. És perverso, porque ousaste mentir para nós. Bem, tu mereces o teu castigo.

Espantado e aterrorizado, ele ficou em silêncio, sem ousar falar. Enquanto isso, os doze trocavam de lugar um após o outro, cada um finalmente retornando ao seu lugar original. Então, do meio das chamas, ergueu-se o velho de barba branca que falou severamente ao rico:

— Ai do voluntarioso! Teu irmão é virtuoso, portanto eu o abençoei. Quanto a ti, és ímpio e não escaparás da nossa vingança.

Com essas palavras, os doze levantaram-se. O primeiro agarrou o infeliz, golpeou-o e passou-o para o segundo; o segundo também o atingiu e o passou para o terceiro; e todos eles, um após o outro, açoitaram-no, até que ele foi entregue ao velho, que desapareceu com ele por entre as chamas.

Dias, semanas, meses se passaram, mas o homem rico nunca mais voltou e ninguém sabia o que havia acontecido com ele. Eu acho que o irmão mais novo tinha suas suspeitas, mas ele sabiamente as guardou para si.

A MORADA DOS DEUSES II — O TEMPO E O REI DOS ELEMENTOS

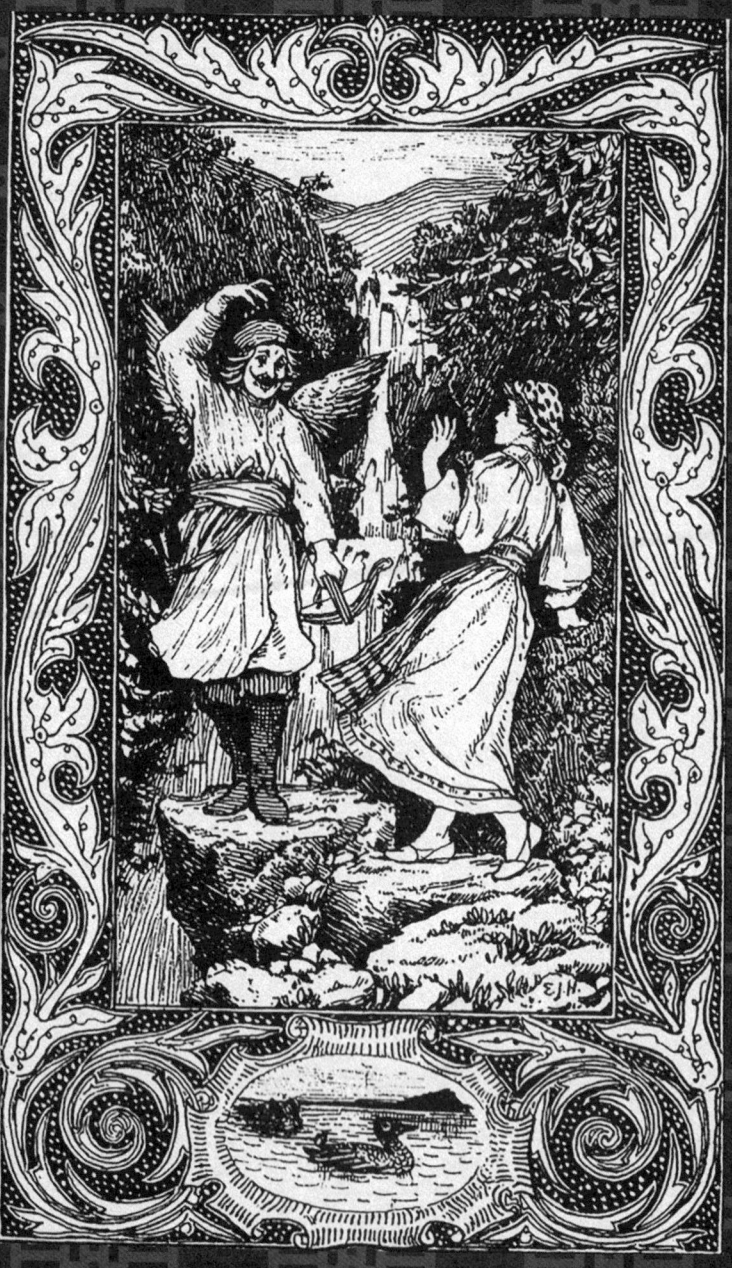

Havia um casal que se amava com ternura. O marido jamais desistiria de sua esposa, nem por todas as riquezas do mundo, enquanto ela sempre se preocupava sobre a melhor maneira de agradá-lo. Eles eram muito felizes e viviam como dois grãos em uma espiga de milho.

Um dia, enquanto trabalhava nos campos, o marido foi acometido por uma grande vontade de ver sua esposa. Assim, sem esperar pela hora do pôr do sol, ele correu para casa, mas ela não estava lá. Ele procurou por toda parte, correu aqui, ali e em todo lugar, gritou e chamou por ela, mas em vão! Sua querida esposa não foi encontrada.

De coração partido, ele não queria mais viver. Não conseguia pensar em nada além da perda de sua querida esposa e em como encontrá-la novamente. Por fim, ele decidiu viajar por todo o mundo em busca dela. Então começou a seguir em sua jornada, confiando em Deus para guiar seus passos. Triste e pensativo, ele vagou por muitos dias, até chegar a uma cabana perto das margens de um grande lago. Ali parou, esperando obter notícias dela. Ao entrar na cabana, ele foi recebido por uma mulher, que tentou impedi-lo de entrar.

— O que você quer aqui, infeliz? — disse ela. — Se meu marido o vir, vai matá-lo instantaneamente.

— Quem é seu marido? — perguntou o viajante.

— O quê? Você não o conhece? Meu marido é o Rei da Água. Tudo que existe sob as águas obedece a ele. Parta imediatamente, pois, se ele o encontrar aqui, certamente o devorará.

— Talvez ele tenha pena de mim. Mas esconda-me em algum lugar, pois estou cansado e sem abrigo para esta noite.

Então a Rainha da Água foi persuadida a escondê-lo atrás do fogão. Logo em seguida, o Rei da Água entrou em casa. Ele mal havia cruzado a porta quando gritou:

— Esposa, sinto cheiro de carne humana. Sirva-me rapidamente, porque estou com fome.

Ela não se atreveu a desobedecer-lhe e, assim, teve de lhe contar sobre o esconderijo do viajante. O pobre homem ficou terrivelmente assustado, tremeu todos os membros e começou a gaguejar pedindo desculpas.

— Garanto que não fiz mal algum. Eu vim aqui em busca de notícias de minha pobre esposa. Oh, ajude-me a encontrá-la. Não posso viver sem ela.

— Bem — respondeu o Rei da Água —, como você ama sua esposa com tanta ternura, eu lhe perdoarei ter vindo aqui, mas não posso ajudá-lo a encontrá-la, pois não sei onde ela está. Ainda me lembro de ter visto dois patos no lago ontem, talvez ela seja um deles. Mas devo aconselhá-lo a perguntar ao meu irmão, o Rei do Fogo, ele pode lhe dizer mais.

Feliz por ter escapado tão facilmente, ele agradeceu ao Rei da Água e partiu para encontrar o Rei do Fogo. Mas este último não conseguiu ajudá-lo e só o aconselhou a consultar seu outro irmão, o Rei do Ar. Mas o Rei do Ar, apesar de ter viajado por toda a terra, só pôde lhe dizer que pensava ter visto uma mulher no sopé da montanha de cristal.

Mas o viajante ficou animado com a notícia e foi procurar sua esposa no sopé da Montanha de Cristal, perto da casa deles. Ao chegar lá, começou a subir a montanha imediatamente, escalando próximo à cachoeira que corria por lá. Vários patos que estavam nos lagos próximos da cachoeira gritaram:

— Meu bom homem, não suba lá. Você será morto.

Mas ele continuou, sem medo, até chegar a algumas cabanas feitas de palha. Parando diante da maior delas, viu ali uma multidão de bruxos e bruxas que o cercou, gritando a plenos pulmões:

— O que você está procurando?

— Minha esposa — disse ele.

— Ela está aqui — eles disseram —, mas você não poderá levá-la, a menos que a reconheça entre outras duzentas mulheres.

— O quê? Não reconhecer minha própria esposa? Ora, aqui está ela — disse ele, enquanto a apertava nos braços. E ela, encantada por estar com ele novamente, beijou-o com carinho. Então ela sussurrou:

— Querido, embora você tenha me reconhecido hoje, duvido que o faça amanhã, pois haverá muitas de nós. Agora vou lhe dizer o que fazer. Ao anoitecer, vá para o topo da Montanha de Cristal, onde mora o Rei do Tempo e sua corte. Pergunte a ele como você pode me conhecer. Se você for bom e honesto, ele o ajudará. Caso contrário, ele o devorará inteiro, de uma só vez.

— Farei o que você me aconselha, querida — respondeu ele —, mas diga-me, por que você me deixou tão de repente? Se você soubesse o quanto eu sofri! Eu a procurei em todo lugar.

— Eu não o deixei por minha vontade — disse ela. — Um camponês me pediu para ir ver a cachoeira perto da montanha. Quando chegamos lá, ele borrifou um pouco de água sobre si mesmo, e imediatamente vi asas crescendo em seus ombros, e logo ele mudou completamente sua forma para a de um pato. Então eu também me tornei um pato, e fui obrigada a segui-lo. Quando cheguei aqui, foi-me permitido retomar minha própria forma, e agora há apenas essa dificuldade em ser reconhecida por você.

Então eles se separaram, ela para se juntar às outras mulheres, ele para continuar seu caminho rumo à Montanha de Cristal. Ao chegar ao topo da montanha, ele encontrou doze seres estranhos sentados em volta de uma grande fogueira: eles eram os servos do Rei do Tempo. Ele os saudou respeitosamente.

— O que você quer? — disseram eles.

— Eu perdi minha querida esposa. Vocês podem me dizer como reconhecê-la entre duzentas outras mulheres idênticas a ela?

— Não — responderam —, mas talvez o nosso rei possa.

Então surgiu do meio das chamas um velho calvo e com uma barba longa e branca, que, ao ouvir seu pedido, respondeu:

— Embora todas essas mulheres sejam exatamente iguais, sua esposa terá um fio preto no sapato de seu pé direito.

Dizendo isso, ele desapareceu, e o viajante, agradecendo aos doze, desceu a montanha.

Claro que sem o fio preto ele nunca a teria reconhecido. E, embora os bruxos tentassem escondê-la, o feitiço foi quebrado e os dois voltaram alegres para sua casa, onde viveram felizes para sempre.

A MORADA DOS DEUSES III – OS DOZE MESES

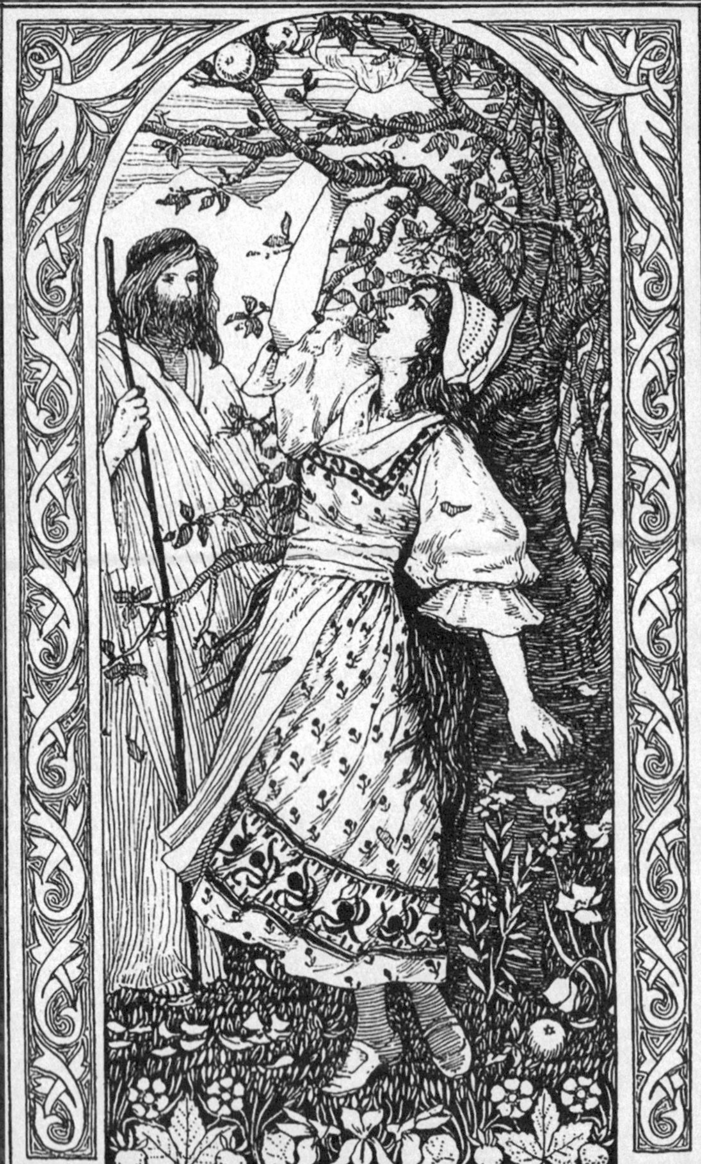

Era uma vez uma viúva que tinha duas filhas: Helena, sua própria filha, nascida do casamento com seu marido morto, e Marouckla, sua enteada. Ela amava Helena, mas odiava a pobre órfã, porque ela era muito mais bonita que sua própria filha. Marouckla não se preocupava com sua bela aparência e não conseguia entender por que sua madrasta tinha raiva dela. O trabalho mais difícil da casa era sua responsabilidade. Cabia a ela limpar os aposentos, cozinhar, lavar, costurar, fiar, tecer, trazer o feno, ordenhar a vaca, e tudo isso sem ajuda de ninguém. Helena, enquanto isso, não fazia nada além de se vestir com suas melhores roupas e frequentar uma festa após a outra. Apesar disso, Marouckla nunca reclamava. Ela suportava as broncas e o mau humor da madrasta e da irmã com um sorriso nos lábios e a paciência de um cordeiro. Mas esse comportamento angelical não as comovia. Elas se tornaram ainda mais tirânicas e mal-humoradas, pois Marouckla ficava mais bonita a cada dia, enquanto a feiura de Helena aumentava. Assim, a madrasta decidiu se livrar de Marouckla, pois sabia que, enquanto ela permanecesse ali, sua própria filha não teria pretendentes. Fome, todo tipo de privação, abusos e todos os meios foram usados para tornar a vida da menina um inferno. O mais perverso dos homens não poderia ter sido mais cruel e impiedoso do que aquelas duas megeras. Mas apesar de tudo isso, Marouckla se tornava cada vez mais doce e charmosa.

Um dia, no meio do inverno, Helena disse querer violetas que cresciam no tronco das árvores.

— Escute — gritou ela para Marouckla —, você deve subir a montanha e encontrar algumas violetas para colocar no meu vestido. Elas devem ser frescas e perfumadas, entendeu?

— Mas, minha querida irmã, quem já ouviu falar de violetas florescendo na neve? — respondeu a pobre órfã.

— Sua criatura miserável! Você se atreve a me desobedecer? — disse Helena. — Não diga nem mais uma palavra. Fora daqui! Se você não me trouxer violetas da floresta no alto da montanha, eu mato você.

A madrasta também acrescentou suas ameaças às de Helena e, com golpes vigorosos, empurraram Marouckla para fora e fecharam a porta. A garota foi chorando até a montanha. A neve estava profunda e não havia vestígios de nenhum ser humano. Por muito tempo ela andou de um lado para o outro e se perdeu na floresta. Estava com fome, tremia de frio e rezava para morrer. De repente, viu uma luz a distância e subiu em direção a ela, até chegar ao topo da montanha. No pico mais alto, viu uma grande fogueira, cercada por doze blocos de pedra sobre os quais estavam doze seres estranhos. Destes, os três primeiros tinham cabelos brancos, três não eram tão velhos, três eram jovens e bonitos e o restante ainda mais jovem.

Todos eles permaneciam em silêncio olhando fixamente para o fogo. Eram os doze meses do ano. O grande Janeiro estava sentado acima dos demais. Seus cabelos e bigode eram brancos como a neve e, na mão, ele segurava uma varinha. A princípio, Marouckla teve medo, mas depois de algum tempo sua coragem voltou e, aproximando-se, ela disse:

— Homens de Deus, posso me aquecer no seu fogo? Estou com frio por causa do inverno.

O grande Janeiro levantou a cabeça e respondeu:

— O que a traz aqui, minha filha? O que procura?

— Estou procurando violetas — respondeu a donzela.

— Não é a estação das violetas; não vê a neve em toda parte? — disse Janeiro.

— Eu bem sei, mas minha irmã Helena e minha madrasta ordenaram que eu trouxesse violetas da sua montanha. Se eu voltar sem elas, elas me matarão. Peço-lhes, bons pastores, que me digam onde posso encontrá-las.

Então o grande Janeiro se levantou e foi até o caçula dos meses, e, colocando a varinha na mão dele, disse:

— Irmão Março, ocupe o lugar mais alto.

Março obedeceu, ao mesmo tempo que balançava a varinha sobre o fogo. Imediatamente as chamas subiram em direção ao céu, a neve começou a derreter e as árvores e arbustos a brotar. A grama ficou verde e, por entre as folhas, apareceu uma pálida prímula. Era primavera, e os prados estavam azuis, repletos de violetas.

— Pegue-as rapidamente, Marouckla — disse Março.

Alegremente, ela se apressou em colher as flores e, quando tinha um grande maço, agradeceu e correu para casa. Helena e a madrasta ficaram impressionadas com a visão das flores, cujo perfume encheu a casa.

— Onde você as encontrou? — perguntou Helena.

— Sob as árvores, na encosta da montanha — disse Marouckla.

Helena guardou as flores para ela e sua mãe e nem sequer agradeceu à meia-irmã pelo trabalho que havia tido. No dia seguinte, ela desejou que Marouckla lhe trouxesse alguns morangos.

— Corra — disse ela — e traga-me morangos da montanha. Eles devem ser muito doces e maduros.

— Mas quem já ouviu falar de morangos amadurecendo na neve? — Marouckla exclamou.

— Olhe como fala, verme, e não me responda. Se eu não tiver meus morangos, eu mato você.

Então a madrasta a empurrou para o quintal e trancou a porta. A menina infeliz caminhou em direção à montanha e ao grande fogo em volta do qual se sentavam os doze meses. O grande Janeiro ocupava o lugar mais alto.

— Homens de Deus, posso me aquecer junto ao seu fogo? O frio do inverno me arrepia — disse ela, aproximando-se.

O grande Janeiro levantou a cabeça e perguntou:

— Por que vem aqui? O que procura?

— Estou procurando por morangos — disse ela.

— Estamos no meio do inverno — respondeu Janeiro —, morangos não crescem na neve.

— Eu sei — disse a garota com tristeza —, mas minha irmã e minha madrasta ordenaram que eu trouxesse morangos para elas, senão elas vão me matar. Por favor, bons pastores, digam-me onde encontrá-los.

O grande Janeiro levantou-se, passou pelo mês à sua frente e, colocando a varinha na mão dele, disse:

— Irmão Junho, ocupe o lugar mais alto.

Junho obedeceu e, enquanto balançava a varinha sobre o fogo, as chamas subiram em direção ao céu. Instantaneamente a neve derreteu, a terra ficou coberta de verde, as árvores foram cobertas com folhas, os pássaros começaram a cantar e várias flores desabrocharam na floresta. Era verão. Sob os arbustos, massas de flores em forma de estrela transformavam-se em morangos maduros. Antes que Marouckla tivesse tempo de fazer o sinal da cruz, eles cobriram a clareira, fazendo com que parecesse um mar de sangue.

— Colha-os rapidamente, Marouckla — disse Junho.

Ela agradeceu os meses alegremente e, depois de encher o avental, correu para casa. Helena e sua mãe ficaram maravilhadas ao ver os morangos, que enchiam a casa com sua deliciosa fragrância.

— Onde você os encontrou? — perguntou Helena, zangada.

— Bem no alto da montanha, os que estavam debaixo das faias não estão nada maus.

Helena deu alguns morangos para a mãe e comeu o resto. Ela não ofereceu nenhum a sua meia-irmã. Cansada de comer morangos, no terceiro dia ela teve vontade de comer maçãs vermelhas frescas.

— Corra, Marouckla — disse ela —, e traga-me maçãs vermelhas frescas da montanha.

— Maçãs no inverno, irmã? As árvores não têm folhas, nem frutos.

— Vagabunda preguiçosa, vá neste minuto — disse Helena. — A menos que você me traga maçãs, nós a mataremos.

Como antes, a madrasta a agarrou bruscamente e a expulsou de casa. A pobre menina subiu chorando pela montanha, através da neve profunda sobre a qual não havia pegada humana, e seguiu em direção à fogueira onde ficavam os doze meses. Como sempre, eles estavam imóveis, e na pedra mais alta estava o grande Janeiro.

— Homens de Deus, posso me aquecer junto ao seu fogo? O frio do inverno me arrepia — disse ela, aproximando-se.

O grande Janeiro levantou a cabeça.

— Por que você está aqui? O que procura? — perguntou ele.

— Vim procurar maçãs vermelhas — respondeu Marouckla.

— Mas estamos no inverno, e não na estação das maçãs vermelhas — observou o grande Janeiro.

— Eu sei — respondeu a garota —, mas minha irmã e minha madrasta me enviaram para buscar maçãs vermelhas da montanha, e, se eu voltar sem elas, elas vão me matar.

Então o grande Janeiro levantou-se e foi até um dos meses mais velhos, a quem entregou a varinha, dizendo:

— Irmão Setembro, ocupe o lugar mais alto.

Setembro foi até a pedra mais alta e balançou a varinha sobre o fogo. Houve labaredas vermelhas, a neve desapareceu, e as folhas desbotadas que tremiam nas árvores foram carregadas pelo vento frio do nordeste em massas de cor amarela até a clareira. Apenas algumas flores do outono eram visíveis, como a margarida, o cravo vermelho, os lilases do outono na ravina e sob as faias, samambaias e tufos de urze do norte. A princípio, Marouckla procurou em vão por maçãs vermelhas. Então ela viu uma árvore que crescia a uma grande altura, de cujos galhos pendia a fruta vermelha brilhante. Setembro ordenou que ela as colhesse rapidamente. A menina ficou encantada e sacudiu a árvore. Primeiro uma maçã caiu, depois outra.

— Já chega — disse Setembro. — Corra para casa.

Agradecendo aos meses, ela voltou alegremente. Helena ficou maravilhada, e a madrasta ficou intrigada ao ver as frutas.

— Onde você as colheu? — perguntou a meia-irmã.

— Há mais no topo da montanha — respondeu Marouckla.

— Então por que você não trouxe mais? — disse Helena com raiva. — Você deve ter comido algumas no seu caminho de volta, sua garota má.

— Não, querida irmã, eu nem as provei — disse Marouckla. — Eu balancei a árvore duas vezes e uma maçã caiu de cada vez. Não me foi permitido sacudir de novo, mas me disseram para voltar para casa.

— Que Perun o atinja com seu raio — disse Helena, golpeando-a.

Marouckla rezou para morrer, em vez de sofrer tais maus-tratos. Chorando amargamente, ela se refugiou na cozinha. Helena e sua mãe acharam as maçãs mais deliciosas do que jamais haviam experimentado, e, quando terminaram, ambas desejaram mais.

— Escute, mãe — disse Helena. — Dê-me minha capa. Vou buscar mais algumas maçãs, ou então essa desgraçada inútil as comerá no caminho. Serei capaz de encontrar a montanha e a árvore. Os pastores podem gritar "Pare!", mas eu não irei embora até que tenha colhido todas as maçãs.

Apesar dos conselhos de sua mãe, ela vestiu a pele, cobriu a cabeça com um capuz quente e pegou o caminho para a montanha. A mãe ficou de pé olhando até ela desaparecer de sua vista.

A neve cobria tudo, nem uma pegada humana era vista em sua superfície. Helena se perdeu e andou de um lado para o outro. Depois de um tempo, ela viu uma luz acima dela e, seguindo em sua direção, alcançou o topo da montanha. Havia o fogo flamejante, os doze blocos de pedra e, sobre eles, os doze meses. A princípio, ela ficou assustada e hesitou. Então se aproximou e aqueceu as mãos. Ela não pediu permissão, nem disse uma palavra educada sequer.

— O que a trouxe aqui? O que procura? — disse o grande Janeiro severamente.

— Não sou obrigada a lhe dizer, velho barbudo. Não é da sua conta — respondeu ela com desdém, virando as costas para o fogo e indo em direção à floresta.

O grande Janeiro franziu o cenho e acenou com a varinha sobre sua cabeça. Instantaneamente o céu ficou coberto de nuvens, o fogo e a neve caíram em grandes volumes, um vento gelado uivou em volta da montanha. Em meio à fúria da tempestade, Helena proferiu palavrões contra sua meia--irmã. O casaco de pele não aqueceu seus membros adormecidos. A mãe continuou esperando por ela. Ela olhou pela janela, observou da porta, mas a filha não apareceu. As horas passaram devagar, mas Helena não voltou.

— Será que as maçãs a enfeitiçaram e fizeram-na rumar para longe de casa? — pensou a mãe. Então ela se vestiu com o capuz e o casaco e foi procurar sua filha. A neve caía em grande quantidade, cobrindo todas as coisas, e permanecia intocada por passos humanos. Por muito tempo ela vagou para cá e para lá. O vento gelado do nordeste assobiava na montanha, mas nenhuma voz respondeu aos seus chamados.

Dia após dia, Marouckla trabalhou, orou e esperou, mas nem a madrasta nem a irmã retornaram. Elas tinham morrido congeladas na montanha. A herança de uma pequena casa, um campo e uma vaca couberam a Marouckla. Com o tempo, um fazendeiro honesto passou a compartilhá-los com ela, e suas vidas foram felizes e pacíficas.

A HISTÓRIA DO PRÍNCIPE SLUGOBYL; OU O CAVALEIRO INVISÍVEL

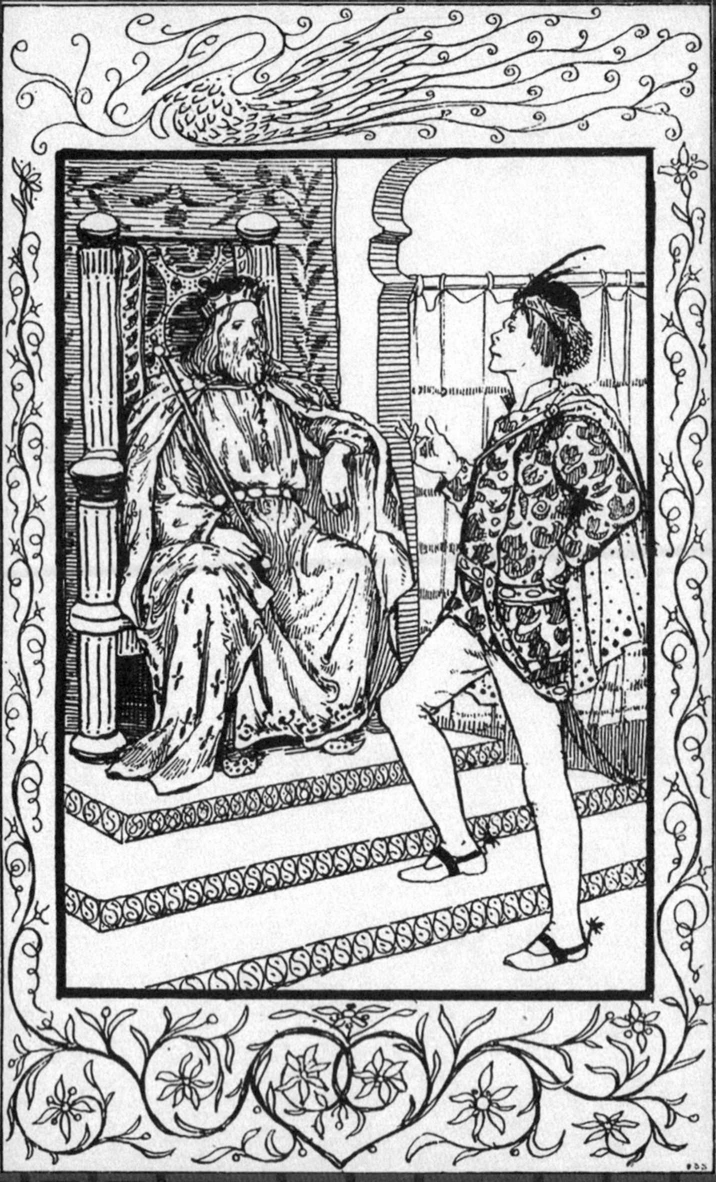

Era uma vez um rei que tinha um filho único, um príncipe chamado Slugobyl. Não havia nada que esse jovem príncipe amasse mais do que viajar. Gostava tanto que, aos vinte anos de idade, não descansou até que seu pai lhe permitisse fazer uma longa jornada por todo o mundo. Assim, ele esperava ver muitas coisas belas e estranhas, encontrar aventuras maravilhosas, obter felicidade, conhecimento e sabedoria e transformar-se em um homem melhor do que quando partiu, em todos os aspectos. Temendo que sua juventude e falta de experiência o desviassem de seu objetivo, seu pai enviou com ele um servo valioso e fiel. Quando tudo estava pronto, Slugobyl despediu-se do rei e partiu para visitar a terra dos seus sonhos.

Enquanto cavalgava, permitindo que seu cavalo seguisse seu próprio ritmo, ele viu um belo cisne branco perseguido por uma águia prestes a colocar suas garras sobre ele. Agarrando sua besta, ele atirou tão bem que a águia caiu aos seus pés. O cisne resgatado parou em seu voo e, virando-se para ele, disse:

— Valente príncipe Slugobyl, não é um mero cisne que agradece sua ajuda oportuna, mas a filha do Cavaleiro Invisível, que, para escapar da perseguição do gigante Kostey, transformou-se em cisne. Meu pai terá todo o prazer em ajudá-lo em troca dessa bondade para comigo. Quando precisar da ajuda dele, você só precisa dizer três vezes: "Cavaleiro Invisível, venha até mim".

Tendo assim falado, o cisne voou para longe. O príncipe procurou por ela por um longo tempo e depois continuou sua jornada. Ele viajou sem parar, por montanhas altas, florestas sombrias, desertos áridos e até o meio de uma vasta planície onde todas as coisas verdes haviam sido queimadas pelos raios do sol. Nem uma única árvore, nem mesmo um arbusto ou uma planta de qualquer espécie podiam ser vistos. Não se ouviu nenhum pássaro cantar, nem inseto a zunir, nem sopro de ar para agitar a quietude daquela terra de desolação. Tendo cavalgado por algumas horas, o príncipe começou a sofrer terrivelmente de sede. Então, enviando seu servo em uma direção, ele próprio seguiu em outra, em busca de algum poço ou nascente. Eles logo encontraram um poço cheio de água boa e fresca, mas infelizmente não havia nem corda nem balde para retirá-la. Depois de alguns instantes, o príncipe disse a seu servo:

— Pegue a correia de couro usada para amarrar nossos cavalos, coloque-a em volta do seu corpo, e então eu o descerei pelo poço. Não posso mais suportar tanta sede.

— Sua alteza — respondeu o servo —, eu sou mais pesado que o senhor, e não é tão forte quanto eu, de modo que não conseguirá me tirar do poço. Portanto desça primeiro, e eu o puxarei de volta quando tiver saciado sua sede.

O príncipe seguiu seu conselho e, prendendo a correia debaixo dos braços, foi baixado dentro do poço. Quando ele desfrutou de uma boa quantidade da água limpa e encheu uma garrafa da mesma água para o criado, deu sinal de que desejava ser puxado de volta. Mas, em vez de obedecer, o servo disse:

— Escute, príncipe: desde o dia em que nasceu até o presente momento, você nunca conheceu nada além de luxo, prazer e felicidade, enquanto eu sofri a pobreza e a escravidão toda a minha vida. Agora vamos mudar de lugar, e você será meu servo. Se você recusar, é melhor fazer as pazes com Deus, pois eu deixarei que se afogue.

— Pare, servo fiel! — exclamou o príncipe. — Você não pode ser tão mau assim. Que bem isso lhe trará? Você nunca será tão feliz como tem sido comigo, e sabe que torturas terríveis estão reservadas aos assassinos no outro mundo. Suas mãos serão mergulhadas em óleo fervente, seus ombros machucados por golpes de paus de ferro em brasa e seu pescoço serrado com serras de madeira.

— Você pode me cortar e serrar o quanto quiser no outro mundo — disse o servo —, mas vou afogá-lo. — E ele começou a deixar a alça deslizar por entre os dedos.

— Muito bem — disse o príncipe —, eu aceito seus termos. Você será o príncipe e eu serei o seu servo, dou-lhe a minha palavra.

— Não tenho fé em palavras que são levadas pelo primeiro vento que sopra. Jure cumprir sua promessa, por escrito.

— Eu juro.

O criado então fez chegar até ele papel e lápis e ditou o seguinte:

— "Declaro que renuncio ao meu nome e direitos em favor do portador deste documento e que reconheço que ele é meu príncipe e que sou seu servo. Escrito no poço. Assinado, Príncipe Slugobyl."

O servo pegou o documento, que era incapaz de ler, puxou o príncipe de volta, tirou as roupas que estava vestindo e o fez usar aquelas que ele mesmo acabara de tirar. Assim, disfarçados, viajaram por uma semana e, chegando a uma grande cidade, foram direto ao palácio do rei. Ali, o falso príncipe dispensou seu pretenso servo aos estábulos e, apresentando-se diante do rei, dirigiu-se a ele de maneira muito altiva:

— Rei, vim exigir a mão de sua filha sábia e bonita, cuja fama chegou à corte de meu pai. Em troca, ofereço nossa aliança e, em caso de recusa, a guerra.

— Orações e ameaças não cabem neste momento — respondeu o rei. — No entanto, príncipe, como prova da estima que tenho pelo rei, seu pai, concedo seu pedido. Mas apenas sob uma condição, que você nos livre de um grande exército que agora assola nossa cidade. Faça isso, e minha filha será sua.

— Certamente — disse o impostor. — Posso me livrar deles rapidamente, por mais perto que estejam. Comprometo-me a libertar seu reino inteiramente deles amanhã, pela manhã.

À noite, ele foi aos estábulos e, chamando seu pretenso servo, saudou-o respeitosamente e disse:

— Escute, meu querido amigo, quero que você saia imediatamente da cidade e destrua o exército sitiante que o cerca. Mas faça de tal maneira que todos acreditem que eu o fiz. Em troca desse favor, prometo devolver o documento no qual você renunciou ao seu título de príncipe e comprometeu-me a me servir.

O príncipe vestiu a armadura, montou seu cavalo e cavalgou para fora dos portões da cidade. Lá ele parou e chamou três vezes o Cavaleiro Invisível.

— Eis-me, príncipe, a seu serviço — disse uma voz próxima a ele. — Farei o que quiser, pois você salvou minha única filha das mãos do gigante Kostey. Sempre lhe serei grato.

Slugobyl mostrou a ele o exército que tinha de destruir antes da manhã do dia seguinte, e o Cavaleiro Invisível assobiou e cantou:

— Magu, Cavalo com Crina de Ouro,
"— Quero sua ajuda mais uma vez,
"— Não ande pela terra, mas voe pelo espaço

"— Como os relâmpagos iluminam ou os trovões ecoam.
"— Rápido como a flecha do arco,
"— Venha rápido, mas que ninguém saiba."

Naquele instante, um magnífico cavalo cinza apareceu em um turbilhão de fumaça, e de sua cabeça pendia uma linda crina dourada. Veloz como o vento, chamas de fogo saíam de suas narinas, relâmpagos brilhavam em seus olhos e colunas de fumaça subiam de seus ouvidos. O Cavaleiro Invisível montou em suas costas, dizendo ao príncipe:

— Pegue minha espada e destrua a ala esquerda do exército, enquanto eu ataco a ala direita e o centro.

Os dois heróis avançaram e atacaram os invasores com tanta fúria, que por todos os lados os homens caíram como madeira cortada ou grama seca. Um terrível massacre se seguiu, mas foi em vão que o inimigo fugiu, pois os dois cavaleiros pareciam estar em toda parte. Em pouco tempo, apenas os mortos e moribundos permaneceram no campo de batalha, e os dois conquistadores retornaram silenciosamente à cidade. Ao chegar aos degraus do palácio, o Cavaleiro Invisível desapareceu na névoa da manhã, e o príncipe servo voltou aos estábulos.

Naquela mesma noite, aconteceu que a filha do rei, incapaz de dormir, permaneceu na varanda e viu e ouviu tudo o que havia acontecido. Ela ouvira a conversa entre o impostor e o verdadeiro príncipe, vira o último pedir ajuda ao Cavaleiro Invisível e depois tirar a armadura real em favor do falso príncipe. Ela tinha visto e entendido tudo, mas decidiu manter silêncio por mais um tempo.

Mas quando, no dia seguinte, o rei, seu pai, comemorou a vitória do falso príncipe com grandes alegrias, cobrindo-o de honras e presentes e expressando o desejo de que ela se casasse com ele, a princesa não pôde mais ficar calada. Ela caminhou até o verdadeiro príncipe, que estava esperando à mesa com os outros servos, pegou o braço dele e o conduziu até o rei, dizendo:

— Pai e todas as pessoas boas aqui presentes, este é o homem que salvou nosso país do inimigo e a quem Deus destinou ser meu marido. Aquele a quem você presta honras é apenas um impostor vil, que roubou de seu mestre o nome e os direitos. Ontem à noite, testemunhei atos que olhos nunca viram nem ouvidos ouviram, mas que serão contados depois. Faça com que esse traidor mostre a carta que comprova a verdade do que eu digo.

Quando o falso príncipe entregou o documento assinado pelo príncipe-servo, constatou-se que ele continha as seguintes palavras:

— O portador deste documento, o servo falso e perverso do príncipe-servo, receberá o castigo que seu pecado merece. Assinado, Príncipe Slugobyl.

— O quê? Esse é o verdadeiro significado dessa escrita? — perguntou o traidor, que não sabia ler.

— Certamente — foi a resposta.

Então ele se jogou aos pés do rei e implorou por misericórdia. Mas ele recebeu seu castigo, pois foi amarrado a quatro cavalos selvagens e despedaçado.

O príncipe Slugobyl casou-se com a princesa. Foi um casamento magnífico. Eu próprio estava lá e bebi hidromel e vinho, mas eles só tocaram na minha barba, não entraram na minha boca.

KOVLAD I — O SOBERANO DO REINO MINERAL

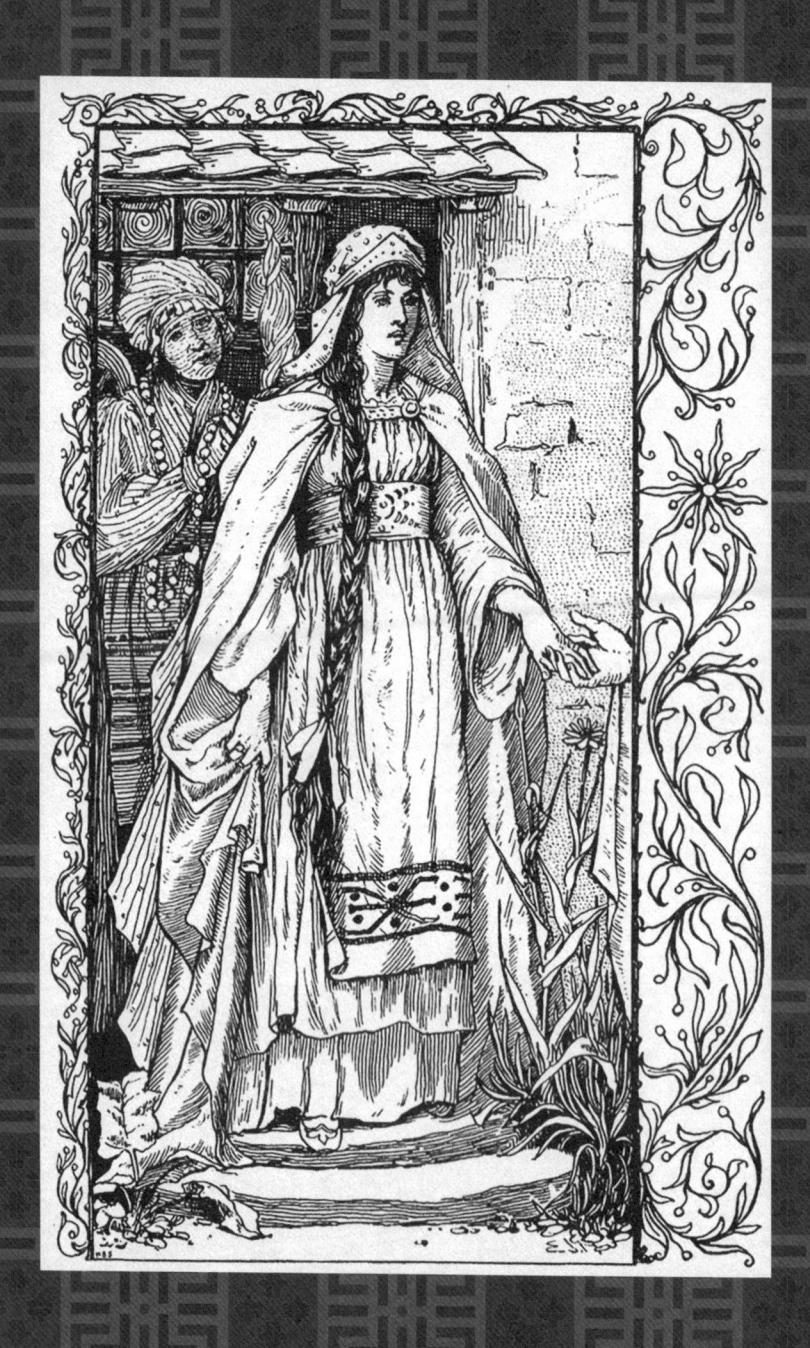

Era uma vez uma viúva que tinha uma filha muito bonita. A mãe, mulher boa e honesta, estava bastante satisfeita com aquilo que possuía na vida, mas a filha era diferente. Ela, como uma beldade mimada, olhava com desprezo para seus muitos admiradores, sua mente estava cheia de pensamentos orgulhosos e ambiciosos, e, quanto mais pretendentes ela tinha, mais orgulhosa ficava.

Em uma bela noite de luar, a mãe acordou e, sem conseguir dormir, começou a orar a Deus pela felicidade de sua única filha, embora muitas vezes ela tornasse a vida de sua mãe miserável. A mulher afetuosa olhou com amor para a bela filha dormindo ao seu lado e se perguntou, ao ver seu sorriso, que sonho feliz a teria visitado. Então, ela terminou sua oração e, deitando a cabeça no travesseiro da garota, adormeceu. No dia seguinte, ela disse:

— Venha, querida criança, e diga-me o que você estava sonhando na noite passada. Você parecia tão feliz sorrindo em seu sono.

— Oh, sim, mãe, eu me lembro. Tive um sonho muito lindo. Sonhei que um nobre rico veio a nossa casa, em uma esplêndida carruagem de bronze, e deu-me um anel incrustado de pedras, que brilhava como as estrelas do céu. Quando entrei na igreja ao seu lado, havia muitas pessoas, e todos me consideraram divina e adorável, como a Santíssima Virgem.

— Ah! Minha filha, que pecado! Que Deus a afaste desses sonhos.

Mas a filha saiu cantando e se ocupou com a casa. No mesmo dia, um belo jovem fazendeiro entrou na aldeia em sua carroça e implorou que as duas viessem compartilhar de seu pão. Ele era um rapaz gentil e a mãe gostava muito dele. Mas a filha recusou seu convite e o insultou.

— Mesmo se você estivesse dirigindo uma carruagem de bronze — disse ela — e me oferecesse um anel incrustado com pedras brilhantes como as estrelas do céu, eu jamais me casaria com você, um mero camponês!

O jovem fazendeiro ficou terrivelmente chateado ao ouvir aquelas palavras e, com uma oração por sua alma, voltou para casa entristecido. Mas sua mãe a repreendeu severamente.

Na noite seguinte, a mulher acordou novamente e, tomando seu rosário, orou com fervor ainda maior para que Deus abençoasse sua filha. Desta vez, a garota riu enquanto dormia.

— O que essa pobre criança pode estar sonhando? — ela disse a si mesma e, suspirando, rezou por sua filha mais uma vez. Então ela deitou a cabeça no travesseiro e tentou em vão dormir. De manhã, quando a filha estava se vestindo, ela perguntou:

— Bem, minha querida, você estava sonhando novamente ontem à noite e rindo como louca.

— Eu estava? Ouça, sonhei que um nobre veio me buscar em uma carruagem de prata e me deu uma coroa de ouro. Quando entrei na igreja com ela, as pessoas me admiraram e adoraram mais do que a Santíssima Virgem.

— Sim, que sonho terrível! Que sonho perverso! Ore a Deus para que não a deixe cair em tentação.

Então ela repreendeu a filha severamente e saiu, batendo a porta atrás de si. Naquele mesmo dia, uma carruagem entrou na aldeia e alguns cavalheiros convidaram mãe e filha para compartilhar o pão do senhor do feudo. A mãe considerou tal oferta uma grande honra, mas a filha recusou e respondeu aos cavalheiros com desdém:

— Mesmo se vocês tivessem vindo me buscar em uma carruagem de prata maciça e tivessem me presenteado com uma coroa de ouro, eu nunca consentiria em ser a esposa de seu senhor.

Os cavalheiros viraram-se desgostosos e retornaram para casa. A mãe a repreendeu novamente por tanto orgulho.

— Garota miserável e tola! — ela gritou. — O orgulho é o sopro do inferno. É seu dever ser humilde, honesta e de temperamento doce.

A filha respondeu com uma risada.

Na terceira noite, a jovem dormiu profundamente, mas a pobre mulher a seu lado não conseguia fechar os olhos. Atormentada por presságios sombrios, ela temeu que algum infortúnio estivesse para acontecer e seguiu as contas de seu rosário, orando com fervor. De repente, a jovem adormecida começou a zombar e rir.

— Deus misericordioso! — exclamou a pobre mulher. — Que sonhos são esses que ocupam seu pobre cérebro?!

De manhã, ela disse:

— O que a fez rir tão assustadoramente na noite passada? Você deve ter tido pesadelos de novo, minha pobre criança.

— Mãe, parece que você vai me dar outro sermão.

— Não, não, mas eu quero saber com o que você estava sonhando.

— Bem, eu sonhei que alguém apareceu em uma carruagem dourada e me pediu em casamento, e ele me trouxe um manto de tecido de ouro puro. Quando entramos na igreja, a multidão avançou para se ajoelhar diante de mim.

A mãe torceu as mãos com pena, e a menina saiu da sala para evitar ouvir suas lamentações. Naquele mesmo dia, três carruagens entraram no pátio, uma de bronze, uma de prata e uma de ouro. A primeira era puxada por dois, a segunda por três e a terceira por quatro magníficos cavalos. Cavalheiros usando luvas escarlates e mantos verdes saíram das carruagens de bronze e prata, enquanto da carruagem dourada desceu um príncipe que, com o sol brilhando sobre ele, parecia estar vestido de ouro. Todos eles foram até a viúva e pediram a mão de sua filha.

— Temo que não mereçamos tal honra — respondeu a viúva mansamente. Mas, quando os olhos da filha pousaram sobre o pretendente, ela reconheceu nele o amante de seus sonhos e retirou-se para tecer uma *aigrette* de penas multicoloridas. Em troca dessa *aigrette* que ela ofereceu a seu noivo, ele colocou em seu dedo um anel cravejado de pedras que brilhavam como as estrelas do céu, e sobre seus ombros um manto de tecido de ouro. A jovem noiva, não cabendo em si de tanta alegria, retirou-se para terminar seu traje. Enquanto isso, a mãe ansiosa, presa dos mais sombrios pressentimentos, disse ao genro:

— Minha filha consentiu em compartilhar o seu pão. Diga-me de que tipo de farinha é feito?

— Em nossa casa temos pão de bronze, de prata e de ouro. Minha esposa será livre para escolher.

Essa resposta a surpreendeu sobremaneira e deixou-a ainda mais infeliz. A filha não fez perguntas, na verdade contentou-se em nada saber, nem mesmo o quanto sua mãe sofria. Ela estava magnífica em seu traje de noiva e manto dourado, mas saiu de casa com o príncipe sem se despedir de sua mãe ou de seus jovens companheiros. Ela também não pediu a bênção de sua mãe, embora esta chorasse e orasse por sua segurança.

Após a cerimônia de casamento, eles subiram na carruagem dourada e partiram, seguidos pelos acompanhantes de prata e bronze. A comitiva moveu-se lentamente ao longo da estrada, sem parar, até chegar ao pé de uma rocha alta. Ali, em vez de uma entrada para a carruagem, havia uma grande caverna que conduzia a uma encosta íngreme, onde os cavalos desciam cada vez mais para baixo. O gigante Zémo-tras (aquele que produz os terremotos) fechou a abertura com uma pedra enorme. Eles caminharam na escuridão por algum tempo, a noiva apavorada sendo tranquilizada pelo marido.

— Não tema nada — disse ele. — Em pouco tempo, tudo ficará claro e bonito.

Anões grotescos carregando tochas acesas apareceram por todos os lados, saudaram e reverenciaram seu rei Kovlad enquanto iluminavam o caminho para ele e seus servos. Então, pela primeira vez, a garota soube que se havia casado com Kovlad, mas isso pouco importava para ela. Ao sair dessas passagens sombrias para o campo aberto, eles se viram cercados por grandes florestas e montanhas que pareciam tocar o céu. E, é estranho descrever, todas as árvores de qualquer tipo, e até mesmo as montanhas que pareciam tocar o céu, eram feitas de chumbo sólido. Depois de cruzarem essas montanhas maravilhosas, o gigante Zémo-tras fechou todas as aberturas do caminho por onde passaram. Eles então se dirigiram para vastas e belas planícies, no centro das quais havia um palácio dourado coberto com pedras preciosas. A noiva estava cansada de ver tantas maravilhas e alegremente se sentou para o banquete preparado pelos anões. Carnes de vários tipos foram servidas, assadas e cozidas, mas eram feitas de metal: bronze, prata e ouro. Todos comeram com gosto e gostaram da comida, mas a jovem esposa, com lágrimas nos olhos, implorou por um pedaço de pão.

— Certamente, senhora, com prazer — respondeu Kovlad. Mas ela não pôde comer o pão que lhe foi trazido, pois era de bronze. Então, o rei mandou buscar um pedaço de pão de prata, mas ela não conseguiu comê-lo e, depois, uma fatia de pão dourado, que ela também não conseguiu morder. Os servos fizeram tudo o que podiam para conseguir algo ao gosto de sua senhora, mas ela achou impossível comer qualquer coisa.

— Eu ficaria muito feliz em agradá-la — disse Kovlad —, mas não temos outro tipo de comida.

Foi então que ela percebeu, pela primeira vez, sob cujo poder se colocara, e começou a chorar amargamente, desejando ter seguido o conselho de sua mãe.

— Não adianta chorar e se arrepender — disse Kovlad —, você deve saber o tipo de pão que terá de partilhar aqui. Seu desejo foi realizado.

E assim foi, pois não há caminho de volta ao passado. A desgraçada garota foi obrigada doravante a viver nos subterrâneos com seu marido Kovlad, o Deus dos Metais, em seu palácio de ouro. E isso porque ela não tinha colocado seu coração em nada além da posse de ouro, e nunca havia desejado nada melhor.

KOVLAD II — A CRIANÇA PERDIDA

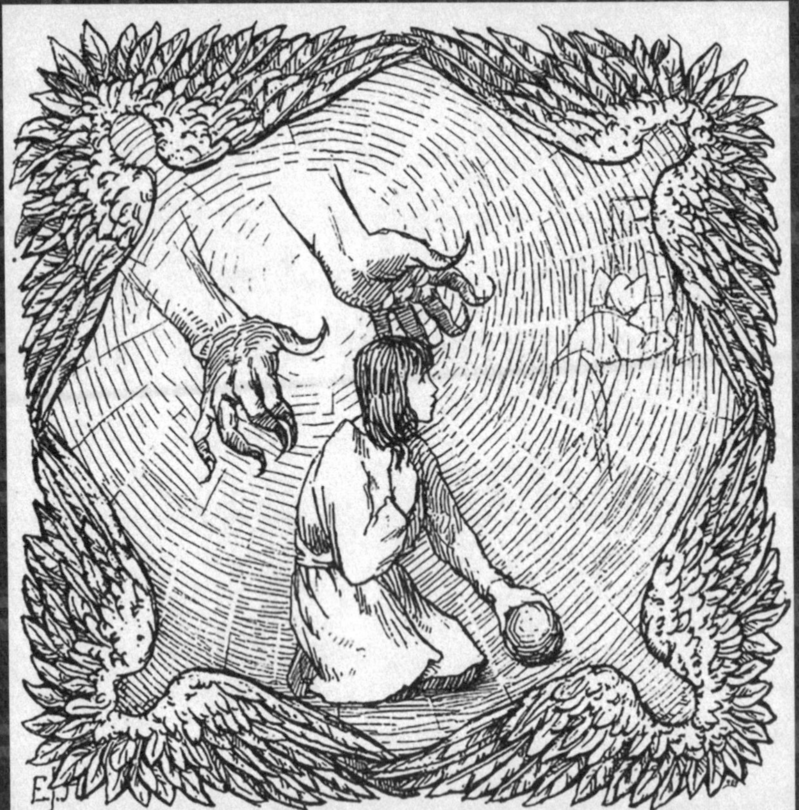

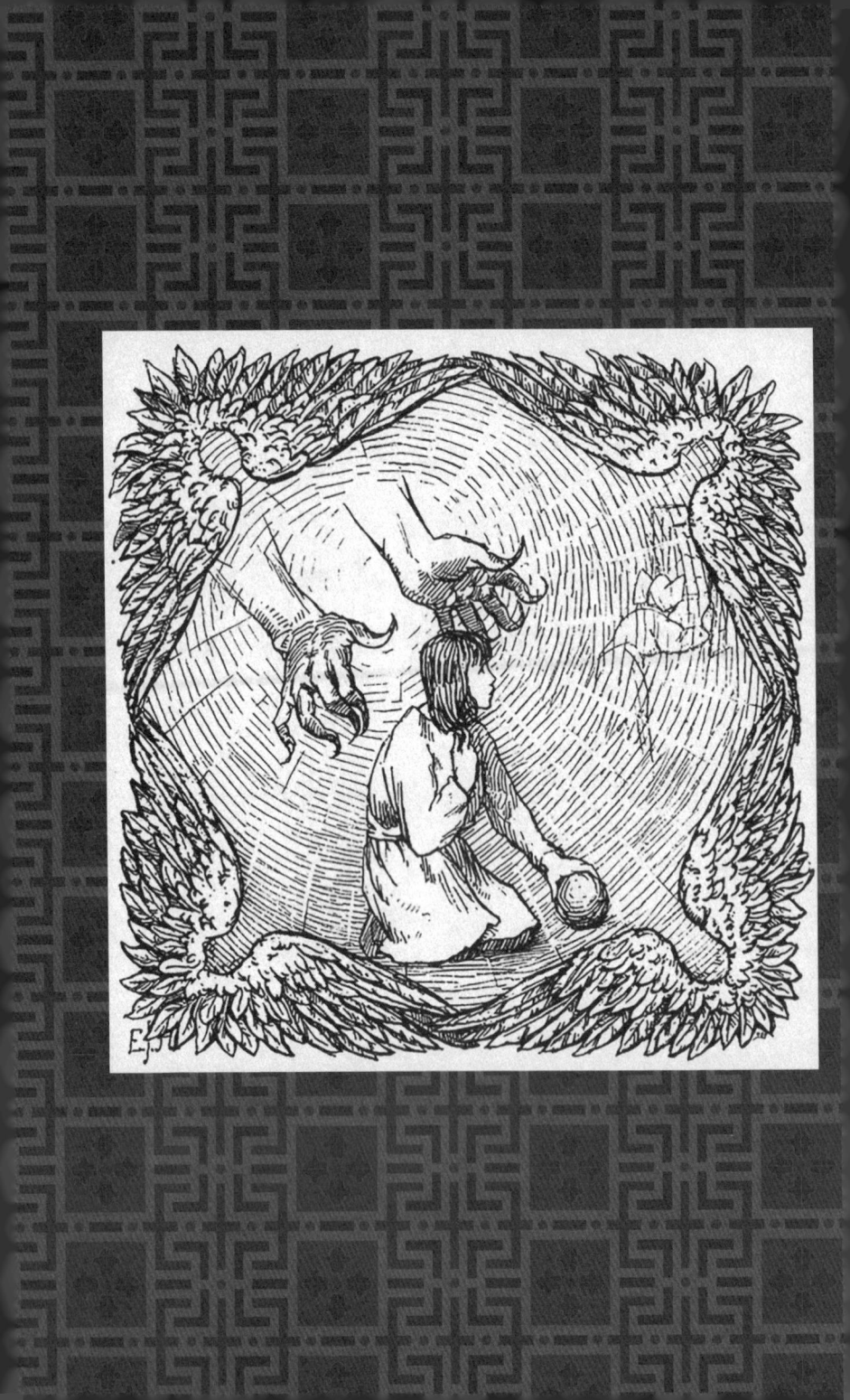

Há muito tempo, vivia um nobre muito rico. Mas, embora fosse tão rico, não era feliz, pois não tinha filhos a quem pudesse deixar sua riqueza. Além disso, ele não era mais jovem. Todos os dias, ele e sua esposa iam à igreja orar por um filho. Por fim, após longa espera, Deus enviou-lhes o que desejavam. Na noite anterior à chegada da criança, o pai sonhou que sua chance de viver dependeria de uma condição, a saber, que seus pés nunca tocassem a terra até os doze anos de idade. Todo cuidado foi tomado para que isso fosse evitado, e, quando o pequeno veio, apenas enfermeiras de confiança foram contratadas para cuidar dele. Com o passar dos anos, a criança foi cuidadosamente protegida; às vezes era carregada nos braços das enfermeiras, às vezes embalada em seu berço de ouro, mas seus pés nunca tocavam o chão.

Quando o fim do prazo de doze anos se aproximava, o pai iniciou os preparativos para um magnífico banquete que deveria ser oferecido para celebrar a libertação de seu filho. Um dia, enquanto esses preparativos estavam sendo providenciados, um barulho assustador, seguido por gritos sobrenaturais, sacudiu o castelo. A enfermeira, aterrorizada, largou a criança e correu para a janela e, naquele instante, os ruídos cessaram. Ao se virar para pegar o menino, imagine sua consternação quando ela não o encontrou mais lá, e se lembrou de que havia desobedecido às ordens de seu mestre.

Ouvindo seus gritos e lamentações, todos os servos do castelo correram para ela. O pai logo os seguiu, perguntando:

— Qual é o problema? O que aconteceu? Onde está meu filho?

A enfermeira, tremendo e chorando, contou sobre o desaparecimento de seu filho, seu único filho. Nenhuma palavra pode descrever a angústia que tomou conta do coração do pai. Ele enviou servos em todas as direções para procurar por seu filho. Ele deu ordens, implorou e orou, gastou dinheiro a torto e a direito, prometeu tudo em troca de ter seu filho de volta. A busca foi feita sem perda de tempo, mas nenhum vestígio dele foi encontrado. Ele havia desaparecido tão completamente como se nunca tivesse existido.

Muitos anos depois, o infeliz nobre soube que todas as noites, por volta da meia-noite, em uma das mais belas salas do castelo, ouviam-se gemidos sombrios e passos, como se alguém caminhasse de um lado para o outro. Ansioso para saber mais sobre aquele mistério, pois pensava que poderia de alguma forma dizer respeito a seu filho perdido, ele deu a conhecer que uma recompensa de trezentas moedas de ouro seria dada a qualquer um que vigiasse por uma noite inteira a sala assombrada. Muitos se dispuseram a tentar, mas não tiveram coragem de ficar até o fim, pois à meia-noite, quando os gemidos sombrios eram ouvidos, eles fugiam em vez de arriscar suas vidas por trezentas moedas de ouro. O pobre pai estava desesperado e não sabia como descobrir a verdade sobre esse mistério sombrio.

Perto do castelo, morava uma viúva, moleira de profissão, que tinha três filhas. Elas eram muito pobres e dificilmente conseguiam ganhar o suficiente para suprir suas necessidades diárias. Quando ouviram falar dos sons misteriosos da meia-noite no castelo e da recompensa prometida, a filha mais velha disse:

— Como somos muito pobres, não temos nada a perder. Certamente poderíamos tentar ganhar essas trezentas moedas de ouro permanecendo no quarto por uma noite. Eu gostaria de tentar, mãe, se você me deixar.

A mãe encolheu os ombros, pois mal sabia o que dizer. Mas, quando ela pensou na pobreza da família e na dificuldade que tinham para ganhar a vida, ela deu permissão para sua filha mais velha ficar uma noite no quarto mal-assombrado. Então a filha foi pedir o consentimento do nobre.

— Você realmente tem coragem para ficar uma noite inteira em uma sala assombrada por fantasmas? Tem certeza de que não está com medo, minha boa menina?

— Estou disposta a tentar esta noite — respondeu ela.
— Eu só peço que me dê um pouco de comida para cozinhar o meu jantar, pois estou com muita fome.

O nobre deu ordens para que ela recebesse tudo o que desejasse e, de fato, comida suficiente foi dada a ela, não apenas para um jantar, mas para três. Com a comida, um pouco de lenha seca e uma vela, ela entrou na sala. Como uma boa dona de casa, ela primeiro acendeu o fogo e dispôs as panelas, depois pôs a mesa e fez a cama. Isso preencheu o início da noite. O tempo passou tão rápido que ela ficou surpresa ao ouvir o relógio bater doze horas. Na última badalada, passos, como de alguém caminhando, sacudiram a sala, e gemidos sombrios encheram o ar. A menina assustada correu de um canto a outro, mas não conseguiu ver ninguém. Mas os passos e os gemidos não cessaram. De repente, um jovem se aproximou dela e perguntou:

— Para quem essa comida é preparada?

— Para mim mesma — disse ela.

O rosto gentil do estranho entristeceu-se e, após um breve silêncio, ele perguntou novamente:

— E essa mesa, para quem está posta?

— Para mim — ela respondeu.

A fronte do jovem turvou-se e os belos olhos azuis se encheram de lágrimas quando ele perguntou mais uma vez:

— E essa cama, para quem você a fez?

— Para mim — respondeu ela com o mesmo tom egoísta e indiferente.

Lágrimas caíram de seus olhos enquanto ele agitava os braços e desaparecia.

Na manhã seguinte, ela contou ao nobre tudo o que acontecera, mas sem mencionar a dolorosa impressão que suas respostas causaram no estranho. As trezentas coroas de ouro foram pagas e o pai ficou grato por finalmente ter ouvido algo que poderia levar à descoberta de seu filho.

No dia seguinte, a segunda filha, tendo sido informada pela irmã sobre o que fazer e como responder ao estranho, foi ao castelo oferecer seus serviços. O nobre concordou de boa vontade, e ordens foram dadas para que ela recebesse tudo o que pudesse desejar. Sem perder tempo, ela entrou no quarto, acendeu o fogo, dispôs as panelas, estendeu um pano branco sobre a mesa, fez a cama e esperou a meia-noite. Eis que o jovem estranho apareceu e perguntou:

— Para quem é preparada essa comida? Para quem está posta a mesa? Para quem a cama está feita?

— Ela respondeu como sua irmã a havia orientado:

— Para mim, apenas para mim.

Como na noite anterior, ele começou a chorar, agitou os braços e desapareceu de repente.

Na manhã seguinte, ela contou ao nobre tudo o que acontecera, exceto a triste impressão que suas respostas causaram no estranho. As trezentas moedas de ouro foram pagas e ela foi para casa.

No terceiro dia, a filha mais nova quis tentar a sorte.

— Irmãs — disse ela —, como vocês conseguiram ganhar trezentas coroas de ouro cada uma e, assim, ajudar nossa querida mãe, eu também gostaria de fazer minha parte e passar uma noite na sala mal-assombrada.

A viúva amava sua filha mais nova mais ternamente do que as outras e temia expô-la a qualquer perigo, mas, como as mais velhas tiveram sucesso, ela permitiu que a mais jovem arriscasse. Assim, com as instruções de suas irmãs sobre o que deveria fazer e dizer, e com o consentimento do nobre e abundantes provisões, ela entrou na sala assombrada. Depois de acender o fogo, dispor as panelas, pôr a mesa e fazer a cama, ela aguardou com esperança e temor a hora da meia-noite.

Quando soou a meia-noite, a sala foi sacudida pelos passos de alguém que caminhava de um lado para o outro, e o ar foi tomado por gritos e gemidos. A garota olhou para todos os lados, mas nenhum ser vivo podia ser visto. De repente, apareceu diante dela um jovem que perguntou com voz doce:

— Para quem você preparou essa comida?

As irmãs haviam dito a ela como responder e como agir, mas, quando ela olhou nos olhos tristes do estranho, resolveu tratá-lo com mais gentileza.

— Bem, você não me respondeu. Para quem é preparada a comida? — ele perguntou novamente, impaciente, mas ela não respondeu.

Um tanto confusa, ela disse:

— Eu preparei para mim mesma, mas você também é bem-vindo.

Ao ouvir essas palavras, seu semblante ficou mais sereno.

— E essa mesa, para quem é servida?

— Para mim, a menos que você me honre sendo meu convidado.

Um sorriso brilhante iluminou seu rosto.

— E essa cama, para quem você a fez?

— Para mim, mas, se você precisa de descanso, será para você.

Ele bateu palmas de alegria e respondeu:

— Ah, isso mesmo! Aceito com prazer o convite e tudo o que você teve a gentileza de me oferecer. Mas espere, eu oro para que espere por mim. Devo primeiro agradecer aos meus amáveis amigos pelo cuidado que têm tido comigo.

Um sopro fresco e quente de primavera encheu o ar, enquanto no mesmo momento um precipício profundo se abriu no meio do chão. Ele desceu com leveza, e ela, ansiosa para ver o que aconteceria, o seguiu, segurando-se em seu manto. Assim, os dois chegaram ao fundo do precipício. Lá embaixo, um novo mundo se abriu diante de seus olhos. À direita fluía um rio de ouro líquido; à esquerda, erguiam-se altas montanhas de ouro maciço; no centro ficava um grande prado coberto com milhões de flores. O estranho continuou, a garota o seguia despercebida. E no caminho ele saudou as flores do campo como a velhos amigos, acariciando-as e deixando-as com pesar. Então eles chegaram a uma floresta onde as árvores eram de ouro. Muitos pássaros de diferentes tipos começaram a cantar e, voando ao redor do jovem estranho, pousaram tranquilamente em sua cabeça e ombros. Ele falou e acariciou cada um. Enquanto acompanhava o estranho, a menina quebrou um galho de uma das árvores douradas e escondeu-o como recordação daquela terra estranha.

Saindo da floresta de ouro, eles chegaram a um bosque onde todas as árvores eram de prata. Sua chegada foi saudada por um grande número de animais de vários tipos. Estes se aglomeraram e se empurraram uns contra os outros para chegar mais perto de seu amigo. Ele falava com cada um e os acariciava com ternura. Enquanto isso, a garota quebrou um galho de prata de uma das árvores, dizendo para si mesma:

— Este vai servir como símbolo desta terra maravilhosa, pois minhas irmãs não acreditariam em mim se eu apenas contasse a elas.

Quando o jovem estranho se despediu de todos os seus amigos, voltou pelos caminhos por onde havia vindo, e a moça o seguiu sem ser vista. Chegando ao pé do precipício, ele começou a subir, ela vindo silenciosamente atrás, agarrada ao seu manto. Subiram cada vez mais alto, até chegarem à sala do castelo. O chão se fechou sem deixar vestígios da abertura. A menina voltou para seu lugar junto ao fogo, onde estava quando o jovem se aproximou.

— Todas as minhas despedidas foram feitas — disse ele. — Agora podemos jantar.

Ela se apressou em colocar sobre a mesa a comida preparada rapidamente e, sentados lado a lado, eles jantaram juntos. Depois de terem feito uma boa refeição, ele disse:

— Agora é hora de descansar.

Ele se deitou na cama arrumada cuidadosamente e a garota colocou ao seu lado os galhos de ouro e prata que havia colhido na Terra Mineral. Em alguns momentos, ele estava dormindo pacificamente.

No dia seguinte, o sol já estava alto no céu e, no entanto, a menina não viera para dar conta do que acontecera. O nobre ficou impaciente. Ele esperou e esperou, tornando-se cada vez mais inquieto. Por fim, decidiu ir ver por si mesmo o que acontecera. Imagine sua surpresa e alegria ao entrar na câmara mal-assombrada e ver seu filho há muito perdido dormindo na cama, enquanto ao lado dele estava sentada a bela filha da viúva. Naquele momento o filho acordou. O pai, tomado de alegria, convocou os serviçais do castelo para regozijarem-se com ele pela recém-descoberta felicidade.

Então o jovem viu os dois ramos de metal e disse com espanto:

— O que estou vendo? Você então me seguiu até lá? Sabia que com esse ato você quebrou o encanto e me libertou? Esses dois ramos farão dois palácios para nossa futura morada.

Em seguida, ele pegou os galhos e os jogou pela janela. Imediatamente foram vistos dois magníficos palácios, um de ouro e outro de prata. E lá eles viveram felizes como marido e mulher, o filho do nobre e a filha da moleira. E, se não estão mortos, ainda vivem lá.

A PRINCESA COM CACHOS DOURADOS

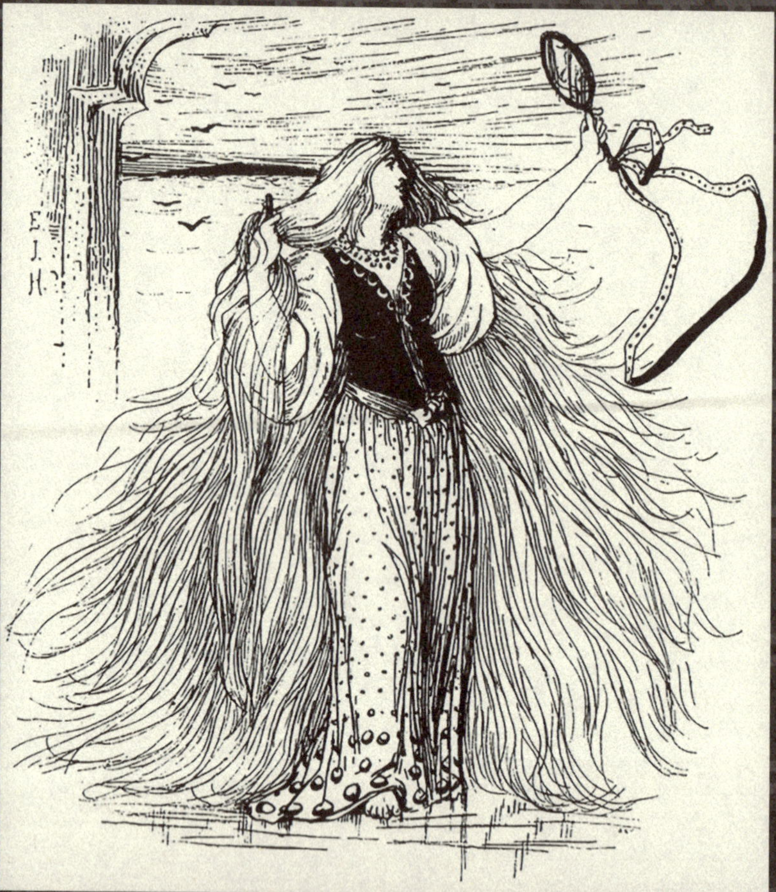
E. J. H.

Havia um rei tão sábio e inteligente que entendia a linguagem dos animais. Você saberá agora como ele ganhou esse poder.

Um dia, uma mulher idosa chegou ao palácio do rei e disse:

— Gostaria de falar com sua majestade, pois tenho algo de grande importância para lhe dizer.

Quando sua presença foi admitida diante dele, ela lhe apresentou um peixe curioso, dizendo:

— Cozinhe este peixe para si mesmo e, quando você o comer, entenderá tudo o que é dito pelos pássaros do ar, pelos animais que andam na terra e pelos peixes que vivem sob as águas.

O rei ficou encantado com a possibilidade de saber o que todos ignoravam, por isso recompensou a velha com generosidade e disse a um servo para cozinhar o peixe com muito cuidado.

— Mas tome cuidado — disse o monarca. — Não prove esse peixe, pois, se o fizer, será morto.

George, o servo, ficou surpreso com tal ameaça e perguntou-se por que seu mestre estava tão ansioso para que ninguém mais pudesse comer o peixe. Depois, examinando-o com curiosidade, disse a si mesmo:

— Nunca em toda a minha vida eu vi um peixe tão estranho. Parece mais um réptil. Agora, que mal poderia haver em comer um pouco de sua carne? Todo cozinheiro experimenta os pratos que prepara.

Quando o peixe estava frito, ele provou um pedacinho e, enquanto pegava um pouco do molho, ouviu um zumbido no ar e uma voz falando em seu ouvido.

— Vamos provar um pouco — dizia a voz.

Ele olhou em volta para ver de onde vinha, mas havia apenas algumas moscas zumbindo na cozinha. No mesmo momento, alguém no quintal disse com uma voz rouca e áspera:

— Onde vamos nos instalar? Onde?

E o outro respondeu:

— No campo de cevada do moleiro. Vamos para o campo de cevada do moleiro!

Quando George olhou para ver de onde vinha aquela estranha conversa, ele viu um ganso voando à frente de um bando deles.

— Que sorte! — pensou ele. — Agora eu sei por que meu mestre valorizou tanto esse peixe e desejou comer tudo sozinho.

George agora não tinha mais dúvidas de que, ao provar o peixe, ele havia aprendido a língua dos animais. Depois de comer um pouco mais, serviu o rei com o restante, como se nada tivesse acontecido.

Depois do jantar, sua majestade ordenou que George selasse dois cavalos e o acompanhasse em um passeio. Logo saíram, o mestre na frente e o criado atrás.

Ao atravessar um prado, o cavalo de George começou a empinar, dizendo as seguintes palavras:

— Eu lhe digo, irmão, sinto-me tão leve e animado que, com um único salto, eu poderia transpor aquelas montanhas e ir além.

— Eu poderia fazer o mesmo — respondeu o cavalo do rei —, mas carrego um velho fraco nas costas; ele cairia como um tronco de árvore e quebraria o crânio.

— O que isso importa a você? Tanto melhor se ele quebrasse a cabeça, pois, em vez de ser montado por um velho, você provavelmente seria montado por um jovem.

O criado riu bastante ao ouvir essa conversa entre os cavalos, mas teve o cuidado de fazê-lo em silêncio, para que o rei não o ouvisse. Naquele momento, sua majestade se virou e, vendo um sorriso no rosto do homem, perguntou a causa daquilo.

— Oh, nada, sua majestade, apenas algumas bobagens que vieram à minha cabeça.

O rei não disse mais nada e não fez mais perguntas, mas desconfiava cada vez mais do criado e dos cavalos; então ele decidiu retornar rapidamente para o palácio.

Quando chegou, ele disse a George:

— Dê-me um pouco de vinho, mas lembre-se de colocar apenas o suficiente para encher o copo, pois, se você derramar uma gota a mais e o copo transbordar, eu ordenarei ao meu carrasco que corte sua cabeça.

Enquanto ele falava, dois pássaros voaram perto da janela, um perseguindo o outro, que carregava três fios de cabelo dourados no bico.

— Dê-me! — disse um deles. — Você sabe que são meus.

— De maneira alguma; eu mesmo os peguei!

— Não importa, eu os vi cair enquanto a donzela com cachos dourados penteava os cabelos. Pelo menos, dê-me dois, então você pode ficar com o terceiro.

— Não, nem um sequer.

Então um dos pássaros conseguiu agarrar os fios do bico do outro, mas na luta ele deixou cair um, e este fez um barulho como um pedaço de metal quando cai no chão. Quanto a George, ele foi pego completamente desprevenido com aquela cena, e o vinho transbordou do copo.

O rei ficou furioso e, convencido de que o servo havia desobedecido às suas ordens e aprendido a língua dos animais, disse:

— Seu patife, você merece a morte por não ter cumprido minhas ordens; no entanto, mostrarei misericórdia sob a condição de que você me traga a donzela, dona das madeixas douradas, pois pretendo me casar com ela.

Infelizmente, o que ele poderia fazer? Pobre rapaz, ele estava disposto a fazer qualquer coisa para salvar sua vida, até correr o risco de perdê-la em uma longa jornada. Ele, portanto, prometeu procurar a Donzela com Cachos Dourados, mas não sabia nem onde, nem como encontrá-la.

Ao montar seu cavalo, ele permitiu que o animal seguisse seu próprio caminho e o levasse para os arredores de uma floresta escura, onde alguns pastores haviam deixado um arbusto queimando. As faíscas de fogo no mato colocavam em risco a vida de um grande número de formigas que haviam construído seu ninho por perto, e as coitadinhas estavam correndo em todas as direções, carregando seus diminutos ovos brancos com elas.

— Ajude-nos em nossa angústia, bom George! — gritaram em voz lamentosa. — Não nos deixe perecer junto com os filhos que carregamos nesses ovos.

George imediatamente desmontou, cortou o mato e apagou o fogo.

— Obrigado, homem corajoso! Lembre-se, quando estiver com problemas, precisará apenas nos chamar, e nós o ajudaremos.

O jovem prosseguiu seu caminho por entre a floresta até chegar a um abeto muito alto. No topo da árvore havia um ninho de corvos, e, perto de suas raízes, estavam dois filhotes que chamavam por seus pais, dizendo:

— Ai de nós! Pai! Mãe! Para onde vocês foram? Vocês voaram para longe e temos de buscar nossa própria comida, fracos e desamparados como somos. Nossas asas ainda não têm penas; como poderemos conseguir algo para comer? Bom George — disseram eles, voltando-se para o jovem —, não nos deixe morrer de fome.

Sem pestanejar, o jovem desmontou e, com a espada, matou o cavalo para fornecer alimento aos jovens pássaros. Eles agradeceram-lhe com entusiasmo e disseram:

— Se você estiver em perigo, chame-nos, e nós o ajudaremos imediatamente.

Depois disso, George foi obrigado a viajar a pé, e continuou andando por um longo tempo, cada vez mais longe na floresta. Ao chegar perto das últimas árvores, viu estendendo-se diante dele o mar imenso, que parecia misturar-se ao horizonte. Perto dali, dois homens disputavam a posse de um peixe grande com escamas douradas que caíra na rede.

— A rede pertence a mim — disse um deles —, portanto o peixe deve ser meu.

— Sua rede não teria a menor utilidade, pois estaria perdida no mar, se eu não tivesse chegado a tempo com meu barco.

— Bem, você terá o próximo que eu pegar.

— E se você não pegar nada?! Não! Dê-me este e fique com o próximo para você.

— Vou pôr um fim à briga de vocês — disse George dirigindo-se a eles. — Vendam-me o peixe. Eu pagarei bem e vocês poderão dividir o dinheiro.

Dizendo isso, colocou nas mãos dos homens todo o dinheiro que o rei lhe dera para a jornada, sem guardar uma única moeda para si. Os pescadores se alegraram com a boa sorte que tiveram, e George devolveu o peixe ao mar. O peixe, agradecido pela liberdade inesperada, mergulhou e desapareceu, mas, retornando à superfície logo depois, disse:

— Sempre que precisar da minha ajuda, basta me chamar, não deixarei de demonstrar minha gratidão.

— Aonde você está indo? — perguntou o pescador.

— Estou em busca de uma esposa para meu antigo mestre; ela é conhecida como a Donzela de Cachos Dourados, mas não sei onde encontrá-la.

— Se isso é tudo, podemos facilmente fornecer as informações de que você precisa — responderam eles. — Ela é a princesa Zlato Vlaska, filha do rei cujo palácio de cristal foi construído naquela ilha. A luz dourada do cabelo da princesa é refletida no mar e no céu todas as manhãs quando ela o penteia. Se você quiser ir à ilha, nós o levaremos lá em retribuição à maneira inteligente e generosa com que você nos fez parar de brigar. Mas cuidado com uma coisa: quando no palácio, não se engane sobre qual é a princesa, pois são doze, mas apenas Zlato Vlaska tem cabelos de ouro.

Quando George chegou à ilha, não perdeu tempo em dirigir-se ao palácio e exigir do rei a mão de sua filha, a princesa Zlato Vlaska, em casamento para o rei, seu mestre.

— Aceitarei o pedido com prazer — disse sua majestade —, mas apenas sob uma condição, a saber, que você execute certas tarefas que eu lhe darei. Serão três e devem ser realizadas em três dias, exatamente como eu ordenar. Por enquanto, é melhor descansar e se refrescar após a jornada.

No dia seguinte, o rei disse:

— Minha filha, a Donzela com Cachos Dourados, tinha um cordão de pérolas finas e o fio se partiu; as pérolas espalharam-se por toda a extensão da grama alta deste campo. Vá e pegue todas as pérolas, pois todas devem ser encontradas.

George foi para a campina que, de tão extensa, ia além do que a vista podia alcançar. Ajoelhou-se e caçou entre os tufos de grama desde a manhã até o meio-dia, mas não conseguiu encontrar uma pérola sequer.

— Ah, se eu tivesse minhas boas formiguinhas aqui comigo! — ele exclamou. — Elas poderiam me ajudar.

— Aqui estamos nós, rapaz, a seu serviço — responderam as formigas aparecendo de repente.

Então todas correram em volta dele, gritando:

— Qual é o problema? O que você quer?

— Tenho de encontrar todas as pérolas perdidas neste campo e não consigo ver uma única sequer, vocês podem me ajudar?

— Espere um pouco, em breve recuperaremos todas para você.

Ele não teve de esperar muito tempo, pois elas lhe trouxeram um monte de pérolas, e tudo o que ele precisou fazer foi enfiá-las no cordão. Quando ele estava prestes a dar o nó, viu uma formiga coxa vindo lentamente em sua direção, pois um de seus pés havia sido queimado no fogo do mato.

— Espere um momento, George! — ela gritou. — Não dê o nó antes de enfiar esta última pérola que estou trazendo para você.

Quando George levou as pérolas ao rei, sua majestade primeiro as contou para garantir que todas estivessem lá e depois disse:

— Você se saiu muito bem nesta prova, amanhã lhe darei outra.

No início da manhã seguinte, o rei chamou George e disse:

— Minha filha, a Princesa de Cachos Dourados, perdeu seu anel de ouro no mar enquanto tomava banho. Você deve encontrar a joia e me trazer ainda hoje.

O jovem rapaz caminhou de maneira pensativa de um lado para outro na praia. A água era pura e transparente, mas ele não podia ver além de uma certa distância em suas profundezas e, portanto, não sabia dizer onde o anel poderia estar.

— Ah, meu peixe dourado, por que você não está aqui agora? Você certamente poderia me ajudar — disse ele para si mesmo em voz alta.

— Aqui estou — respondeu a voz do peixe de dentro do mar. — O que posso fazer por você?

— Preciso encontrar um anel de ouro que foi perdido no mar, mas, como não vejo o fundo, não adianta procurar.

O peixe disse:

— Felizmente, acabei de encontrar um peixe lúcio usando um anel de ouro na nadadeira. Espere um minutinho, sim?

Em muito pouco tempo, ele reapareceu com o outro peixe e o anel. O lúcio desistiu de bom grado da joia.

O rei agradeceu a George por sua esperteza e depois lhe deu a terceira tarefa.

— Se você realmente deseja que eu entregue a mão de minha filha com cabelos dourados ao monarca que lhe enviou aqui, você deve me trazer duas coisas que eu quero acima de tudo: a Água da Morte e a Água da Vida.

George não tinha a menor ideia de onde encontrar essas águas, então decidiu confiar no acaso e "seguir seu faro", como diz o ditado. Ele foi primeiro em uma direção e depois em outra, até chegar a uma floresta escura.

— Ah, se meus pequenos corvos estivessem aqui, talvez eles me ajudassem! — pensou em voz alta.

De repente, ouviu-se um barulho como de asas voando ao alto, e depois desceram os corvos gritando:

— Crás! crás! Aqui estamos nós, prontos e dispostos a ajudá-lo. O que você está procurando?

— Quero um pouco da Água da Morte e da Água da Vida. É impossível para mim encontrá-las, pois não sei onde procurar.

— Crás! crás! Sabemos muito bem onde encontrar essas águas. Espere um momento.

Eles foram embora rapidamente, mas logo retornaram, cada um com uma pequena cabaça no bico. Uma cabaça continha a Água da Vida e a outra, a Água da Morte.

George ficou encantado com seu sucesso e pôs-se a caminho do palácio. Quando já estava saindo da floresta, ele viu uma teia de aranha pendurada entre dois pinheiros, no centro havia uma grande aranha devorando uma mosca que ela acabara de matar. George jogou algumas gotas da Água da Morte na aranha; imediatamente ela soltou a mosca, que rolou no chão como uma cereja madura. Mas, ao ser tocada com a Água da Vida, ela começou a se mover e, esticando primeiro um membro e depois outro, gradualmente se libertou da teia de aranha. Então ela abriu as asas e voou, mas antes zumbiu as seguintes palavras no ouvido de seu libertador:

— George, você garantiu sua própria felicidade restaurando a minha, pois sem a minha ajuda você nunca será capaz de reconhecer a Princesa com Cachos Dourados quando tiver de escolhê-la amanhã entre suas doze irmãs.

E a mosca estava certa, pois, embora o rei, ao descobrir que George tinha cumprido a terceira tarefa, tivesse concordado em dar a ele sua filha Zlato Vlaska, ele acrescentou que ele teria de encontrá-la.

Ele, então, levou o rapaz a uma grande sala e pediu que ele escolhesse entre as doze encantadoras garotas que se sentavam a uma mesa redonda. Cada uma usava um tipo de toucado de linho que escondia completamente a parte superior da cabeça, de maneira que nem os olhos mais aguçados conseguiriam descobrir a cor do cabelo.

— Aqui estão minhas filhas — disse o rei —, mas apenas uma delas tem cabelos dourados. Se você a encontrar, poderá levá-la com você. Mas, se você errar, ela permanecerá conosco e você terá de voltar de mãos vazias.

George ficou muito envergonhado, sem saber que rumo tomar.

— Zum! zum! Venha andar por entre as meninas, e eu vou lhe dizer qual é a sua.

Assim falou a mosca cuja vida George havia salvado.

Agora, mais tranquilizado, ele deu uma volta, apontando para elas uma após a outra, dizendo:

— Essa não tem cabelos dourados, nem essa também, nem essa...

De repente, tendo sido informado pela mosca, ele gritou:

— Aqui está! Essa é Zlato Vlaska. Eu a considero minha, ela a quem ganhei e por cujo preço paguei. Você não vai me recusar desta vez.

— De fato, você adivinhou — respondeu o rei.

A princesa levantou-se da cadeira e deixou cair a touca, expondo a todos o esplendor de seus maravilhosos cabelos, que pareciam uma cachoeira de raios dourados e a cobriam da cabeça aos pés. A luz gloriosa que vinha deles ofuscou os olhos do jovem, e ele imediatamente se apaixonou por ela.

O rei deu à filha presentes dignos de uma rainha, e ela deixou o palácio de seu pai da maneira adequada a uma noiva real. A viagem de volta foi realizada sem contratempos.

Ao chegarem, o velho rei ficou encantado ao ver Zlato Vlaska e dançou de alegria. Esplêndidos e caros preparativos foram realizados para o casamento. Sua majestade então disse a George:

— Você me roubou o segredo da linguagem dos animais. Por isso, pretendia cortar sua cabeça e atirar seu corpo às aves de rapina. Mas, como você me serviu com tanta fidelidade e conseguiu a princesa para minha noiva, diminuirei o castigo, isto é, você ainda será executado, mas será enterrado com todas as honras dignas de um oficial superior.

Então a sentença foi executada, cruel e injustamente. Após a execução, a Princesa de Cabelos Dourados implorou ao rei que permitisse que ela fizesse uma homenagem ao corpo de George, e o monarca estava tão apaixonado que não podia recusar nada à noiva pretendida.

Zlato Vlaska, com as próprias mãos, recolocou a cabeça no corpo e borrifou com a Água da Morte. Imediatamente as partes separadas se tornaram uma novamente. Depois disso, ela derramou a Água da Vida, e George voltou à vida, fresco como um jovem corço, com o rosto radiante de saúde e juventude.

— Ah, quão bem eu dormi — disse ele, esfregando os olhos.

— Sim, ninguém poderia ter dormido melhor — respondeu a princesa, sorrindo —, mas, não fosse por mim, você estaria dormindo pela eternidade.

Quando o velho rei viu George restaurado à vida e parecendo mais jovem, mais bonito e mais vigoroso do que nunca, ele também quis ser jovem novamente. Ele ordenou aos seus servos que cortassem sua cabeça e borrifassem a Água da Vida. E assim foi feito, mas o rei não voltou à vida novamente, embora borrifassem seu corpo com toda a água que restava. Talvez tivessem cometido algum equívoco ao usar a água errada, pois a cabeça e o corpo estavam unidos, mas a vida nunca retornou, não havendo Água da Vida para esse fim. Ninguém sabia onde a conseguir, e ninguém entendia a linguagem dos animais.

Então, para encurtar a história, George foi proclamado rei, e a Princesa com Cachos Dourados, que realmente o amava, tornou-se sua rainha.

A HISTÓRIA DA TOALHA DE MESA QUE SERVIA BANQUETES, DA VARINHA VINGATIVA, DO CINTO QUE SE TRANSFORMAVA EM LAGO E DO CAPACETE TERRÍVEL

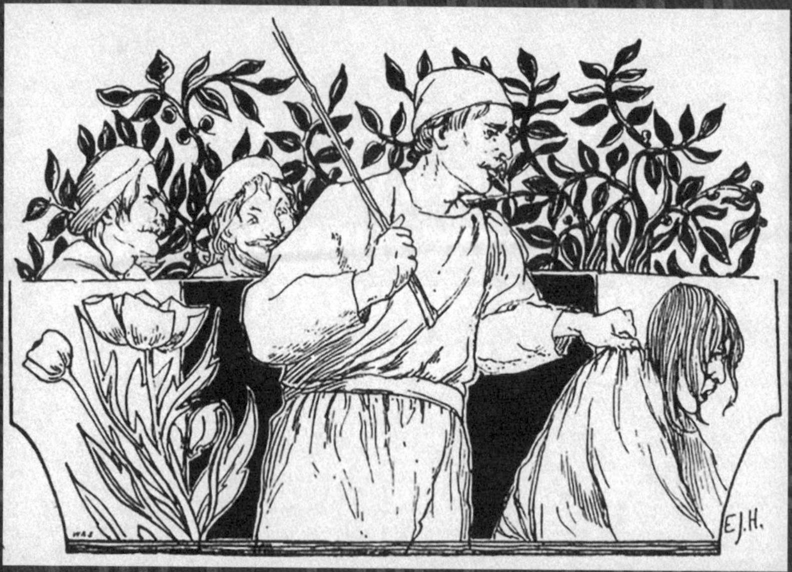
E.J.H.

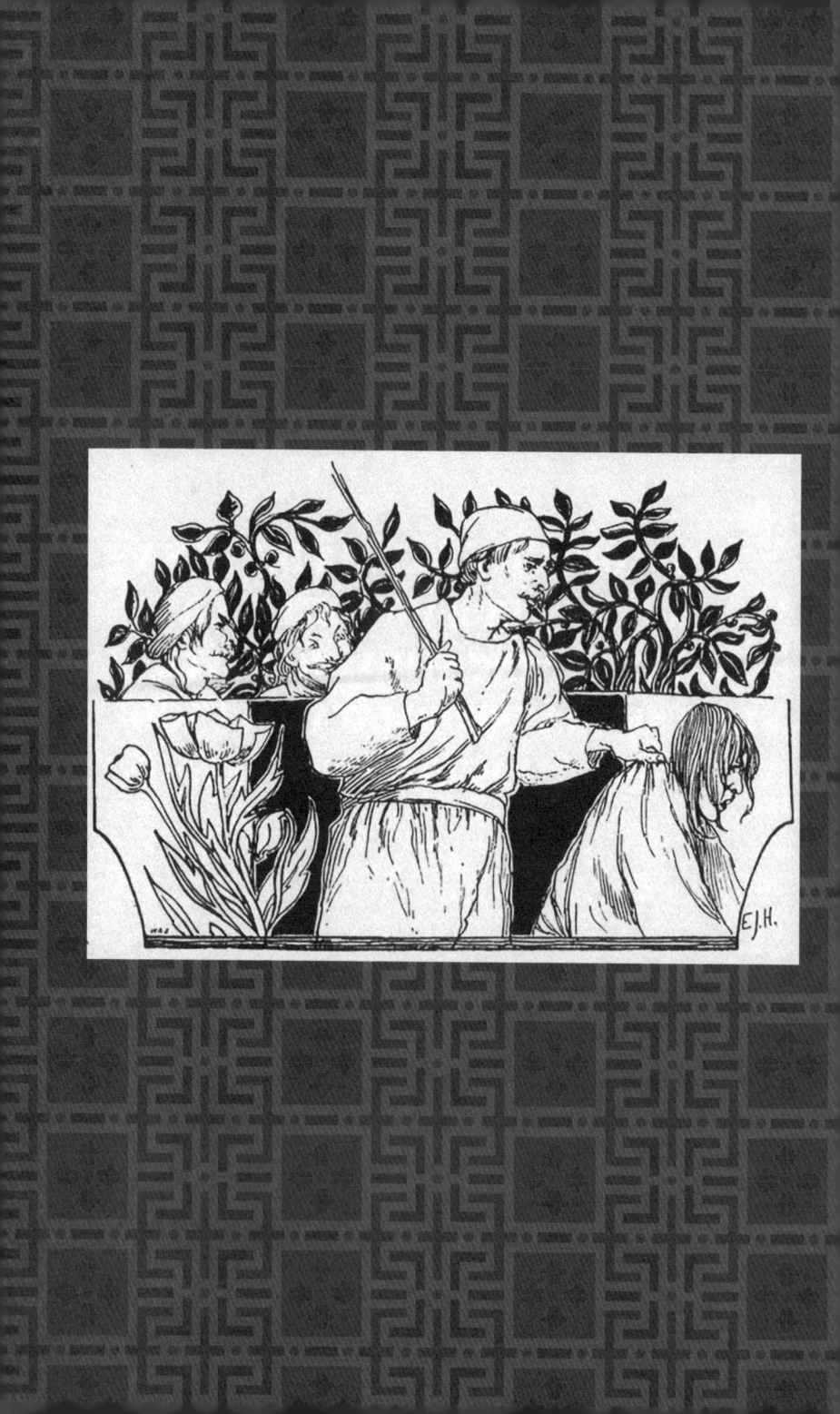

Aconteceu que um dos pastores do rei tinha três filhos. Dois desses rapazes eram muito perspicazes, enquanto o mais novo era considerado muito estúpido. Os filhos mais velhos ajudavam o pai a cuidar dos rebanhos, enquanto o tolo, como o chamavam, não servia para nada além de dormir e se divertir.

Ele passava dias e noites inteiras dormindo pacificamente sobre o fogão, apenas saindo quando forçado pelos outros, ou quando estava muito quente e desejava mudar de posição ou ainda quando, com fome e sede, queria comida e bebida.

Seu pai não o amava, e o chamava de estorvo. Seus irmãos frequentemente o atormentavam, arrastando-o de cima do fogão e tirando sua comida. De fato, muitas vezes ele passaria fome, não fosse por sua mãe, que era boa e o alimentava escondido dos outros. Ela o acariciava com doçura. Por que ele deveria sofrer, pensou ela, se nasceu tolo?

Além disso, quem pode entender os desígnios de Deus? Às vezes acontece que os homens mais sábios não são felizes, enquanto os tolos, quando inofensivos e gentis, levam uma vida boa.

Um dia, ao voltarem dos campos, os dois irmãos do tolo o arrastaram para longe do fogão e o levaram para o quintal, onde lhe deram uma boa sova e o expulsaram de casa dizendo:

— Vá, tolo, e não perca mais tempo, pois você não terá comida nem abrigo até que nos traga uma cesta de cogumelos que crescem na floresta.

O pobre rapaz ficou tão surpreso que mal conseguiu entender o que seus irmãos queriam que ele fizesse. Depois de refletir um pouco, caminhou em direção a uma pequena floresta de carvalhos, onde tudo parecia ter uma aparência tão estranha e maravilhosa que ele não reconheceu o lugar. Enquanto caminhava, chegou a um pequeno tronco de árvore morto, no topo do qual colocou seu gorro, dizendo:

— Toda árvore aqui ergue a cabeça para o céu e veste um bom gorro de folhas, mas você não, meu pobre amigo, vai morrer de frio. Você deve ser entre seus irmãos, como eu sou entre os meus, um tolo. Fique então com meu gorro.

E, envolvendo o tronco morto em seus braços com ternura, ele chorou. Naquele momento, um carvalho que estava próximo começou a caminhar em sua direção como se estivesse vivo. O pobre rapaz estava assustado e prestes a fugir, mas o carvalho falou como um ser humano e disse:

— Não corra; pare um momento e escute-me. Esta árvore murcha é meu filho, e até agora ninguém lamentou por sua juventude perdida, exceto eu. Agora você o regou com suas lágrimas e, em troca de sua simpatia, a partir de agora terá qualquer coisa que me pedir, ao pronunciar estas palavras:

"Ó carvalho tão verde e com nozes de ouro;
Sua amizade vou tentar provar;
Em nome dos céus, agora imploro,
Que minhas necessidades venha gentil amparar."

No mesmo momento, uma chuva de nozes douradas caiu. O tolo encheu seus bolsos, agradeceu o carvalho e curvou-se para ele, retornando para casa.

— Bem, estúpido, onde estão os cogumelos? — gritou um de seus irmãos.

— Tenho alguns cogumelos do carvalho em meus bolsos.

— Coma você mesmo então, pois não terá mais nada; você é um inútil. O que você fez com seu gorro?

— Coloquei-o no tronco de uma árvore que ficava ao lado do caminho, pois sua cabeça estava descoberta e eu tive medo de que congelasse.

Ele então subiu no fogão e, enquanto se deitava, algumas nozes douradas caíram de seu bolso. Elas eram tão brilhantes que pareciam raios de sol iluminando a casa. Apesar das súplicas do tolo, os irmãos as pegaram e entregaram-nas ao pai, que se apressou em levá-las ao rei, dizendo que seu filho idiota as havia recolhido na floresta. O rei imediatamente enviou um destacamento de seus guardas para a floresta para encontrar o carvalho que dava nozes douradas. Mas seus esforços foram infrutíferos, pois, embora caçassem em todos os cantos da floresta, não encontraram um único carvalho que tivesse nozes de ouro.

A princípio, o rei ficou muito zangado, mas, quando se acalmou, chamou o pastor e disse:

— Diga a seu filho, o tolo, que ele deve trazer-me, até hoje à noite, um barril cheio até a borda com essas preciosas nozes douradas. Se ele obedecer às minhas ordens, nunca lhe faltará pão e sal, e você pode estar certo de que meu favor real não lhe faltará em tempos de necessidade.

O pastor transmitiu ao filho mais novo a mensagem do rei.

— Entendo que o rei — ele respondeu — gosta de uma boa barganha. Ele não pergunta, ele ordena e insiste que um tolo busque nozes de ouro maciço em troca de promessas feitas ao vento. Não, eu não irei.

Nem orações, nem ameaças surtiram o menor efeito em fazê-lo mudar de ideia. Por fim, seus irmãos o tiraram à força do fogão, vestiram-no com seu casaco e um gorro novo e o arrastaram para o quintal, onde lhe deram uma boa surra e o expulsaram, dizendo:

— Agora, seu idiota, não perca tempo. Vá e seja rápido. Se você voltar sem as nozes de ouro, não terá comida nem abrigo.

O que o pobre coitado poderia fazer? Por um longo tempo, ele chorou. Depois, partiu em direção à floresta. Ele logo alcançou o toco morto, sobre o qual ainda estava seu gorro, e, dirigindo-se ao carvalho mãe, disse-lhe:

"Ó carvalho tão verde e com nozes de ouro;
Sua amizade vou tentar provar;
Em nome dos céus, agora imploro,
Que minhas necessidades venha gentil amparar."

O carvalho se moveu e sacudiu seus galhos, mas, em vez de nozes douradas, uma toalha de mesa caiu nas mãos do tolo. E a árvore disse:

— Mantenha essa toalha sempre com você e para seu próprio uso. Quando você quiser um benefício, basta dizer:

"Toalha de mesa que aos pobres,
Famintos e sedentos faz alegrar,
Que aquele que implora de porta em porta
Alimente sem restrição nem recear."

Ao pronunciar essas palavras, o carvalho deixou de falar, e o tolo, agradecendo, curvou-se e voltou para casa. No caminho, ele se perguntou como deveria contar a seus irmãos, e o que eles diriam, mas, acima de tudo, ele pensou em como sua boa mãe se alegraria ao ver a toalha que forneceria um banquete. Quando ele caminhou metade da distância, encontrou um velho mendigo, que lhe disse:

— Veja como sou velho, doente e esfarrapado. Pelo amor de Deus, dê-me um pouco de dinheiro ou um pouco de pão.

O tolo estendeu a toalha sobre a grama e convidou o mendigo a sentar-se, dizendo:

"Toalha de mesa que aos pobres,
Famintos e sedentos faz alegrar,
Que aquele que implora de porta em porta
Alimente sem restrição nem recear."

Então um assobio foi ouvido no ar e algo no alto brilhou intensamente. No mesmo instante, uma mesa, posta como em um banquete real, apareceu diante deles. Sobre ela havia muitos tipos diferentes de comida, frascos de hidromel e copos do melhor vinho. Os pratos eram de ouro e prata.

O tolo e o mendigo regozijaram-se e começaram a banquetear. Quando terminaram, o assobio foi novamente ouvido e tudo desapareceu. O tolo dobrou a toalha da mesa e seguiu seu caminho. Mas o velho disse:

— Se você me der sua toalha de mesa, terá esta varinha em troca. Quando você diz certas palavras, ela se fixa à pessoa ou pessoas apontadas e lhes dá uma surra, de modo que, para se livrar dela, elas lhe darão tudo o que possuem.

O tolo pensou em seus irmãos e trocou a toalha de mesa pela varinha, após o que os dois seguiram seus respectivos caminhos.

De repente, o tolo lembrou-se de que o carvalho havia ordenado que ele guardasse a toalha de mesa para seu próprio uso, e que, ao se separar dela, havia perdido a oportunidade de dar uma surpresa agradável à mãe. Então ele disse à varinha:

"Varinha propulsora, sempre disposta e lutadora,
Corra rápido e traga
A toalha de mesa de volta para a minha mão,
E em seu louvor cantarei uma canção."

A varinha disparou como uma flecha atrás do velho, rapidamente o alcançou e, atirando-se sobre ele, começou a espancá-lo terrivelmente, gritando em voz alta:

— Dos bens dos outros você parece gostar; "Pare, ladrão, ou tenha certeza de que continuarei a atacar."

O pobre mendigo tentou fugir, mas não adiantou, pois a varinha o seguia, golpeando-o o tempo todo e pronunciando as mesmas palavras, repetidas vezes. Então, apesar de seu desejo de ficar com a toalha de mesa, ele foi forçado a atirá-la longe e fugir.

A varinha trouxe a toalha de volta ao tolo, que retomou o caminho de casa, pensando na surpresa que a mãe e os irmãos teriam. Ele não tinha caminhado muito, quando um viajante, carregando uma carteira vazia, o abordou, dizendo:

— Pelo amor de Deus, dê-me uma pequena moeda ou um pouco de comida, pois minha bolsa está vazia e estou com muita fome. Também tenho uma longa jornada diante de mim.

O tolo novamente estendeu a toalha sobre a grama e disse:

"Toalha de mesa que aos pobres,
Famintos e sedentos faz alegrar,
Que aquele que implora de porta em porta
Alimente sem restrição nem recear."

Um assobio foi ouvido no ar, algo brilhou no alto e uma mesa, posta como em um banquete real, apareceu diante deles. Sobre ela havia uma variedade de pratos, hidromel e vinhos caros. O tolo e seu convidado sentaram-se e comeram regozijando-se. Quando terminaram, ouviu-se novamente o assobio e tudo desapareceu. O tolo dobrou a toalha cuidadosamente e estava prestes a continuar sua jornada, quando o viajante disse:

— Você troca sua toalha de mesa pelo meu cinto? Quando você diz certas palavras, ele se transforma em um lago profundo, sobre o qual você pode flutuar à vontade. As palavras são assim:

"Ó maravilhoso cinto que lagos pode formar,

"Para minha segurança, e não para minha diversão,

"Leve-me em um barco sobre suas ondas para longe da terra,

"Para que dos meus inimigos não precise fugir, não."

O tolo pensou que seu pai acharia muito conveniente sempre ter água à disposição para os rebanhos do rei, então ele deu sua toalha de mesa em troca do cinto, que ele colocou na cintura, e, pegando a varinha na mão, eles seguiram em direções opostas. Depois de algum tempo, o tolo começou a refletir no que o carvalho lhe dissera sobre guardar a toalha de mesa para uso próprio, e lembrou-se também de que se estava privando do poder de dar uma surpresa agradável à mãe. Então ele disse as palavras mágicas para sua varinha:

"Varinha propulsora, sempre disposta e lutadora,
Corra rápido e traga
A toalha de mesa de volta para a minha mão,
E em seu louvor cantarei uma canção."

A varinha imediatamente começou a perseguir o pobre viajante, em quem começou a bater, ao mesmo tempo que clamava:

— Dos bens dos outros você parece gostar;

"Pare, ladrão, ou tenha certeza de que continuarei a atacar."

O homem estava assustado e tentou escapar dos golpes da varinha, mas não adiantou, então ele foi forçado a jogar a toalha de mesa fora e correr o mais rápido que pôde. A varinha trouxe a toalha de mesa de volta ao seu mestre. O rapaz escondeu-a debaixo do casaco, arrumou o cinto e, pegando a fiel varinha, foi novamente para casa. Enquanto caminhava, regozijou-se ao pensar no prazer que teria em exercitar a varinha sobre seus irmãos perversos; na satisfação de seu pai quando, com a ajuda do cinto, ele pudesse ter água em abundância para os rebanhos do rei, mesmo no clima mais seco; e da alegria de sua mãe ao testemunhar as maravilhas da toalha de mesa. Esses pensamentos agradáveis foram interrompidos por um soldado, coxo, vestido de trapos e coberto de feridas. Ele já fora um famoso guerreiro.

— Sou perseguido por infortúnios — disse ele ao tolo. — Eu já fui um soldado corajoso e lutei bravamente na minha juventude. Agora estou condenado pela vida toda, e nesta estrada solitária não encontrei ninguém para me dar um bocado de comida. Tenha pena de mim e dê-me um pouco de pão.

O tolo sentou-se na grama e, estendendo a toalha da mesa, disse:

"Toalha de mesa, que aos pobres,
Famintos e sedentos faz alegrar,
Que aquele que implora de porta em porta
Alimente sem restrição nem recear."

Um assobio foi ouvido no ar, algo brilhante resplandeceu no alto e, diante deles, havia uma mesa, posta como em um banquete real, repleta de delicados pratos, hidromel e vinhos caros. Quando eles haviam comido e bebido tanto quanto queriam, o assobio foi novamente ouvido, e então tudo desapareceu.

O tolo estava dobrando a toalha da mesa quando o soldado disse:

— Você me daria sua toalha de mesa em troca deste capacete de seis chifres? Ele dispara e destrói instantaneamente o objeto apontado. Você tem apenas de virar a cabeça e repetir estas palavras:

"Ó Capacete Mágico, nunca tu

"Falhaste em nem um tiro;
"Acalma meus medos agora e,
"Sem falha, atira para onde miro.
— Você verá que ele dispara imediatamente, e, mesmo que seu inimigo esteja a uma milha de distância, ele cairá."

O tolo ficou encantado com a ideia e pensou em como esse capacete seria útil em qualquer perigo repentino; serviria até para defender seu país, o rei ou a si mesmo. Então ele entregou a toalha de mesa ao soldado, colocou o capacete na cabeça, pegou a varinha e tomou o caminho de volta para casa.

Quando ele se afastou e o soldado estava quase fora de vista, começou a pensar no que o carvalho havia dito sobre não se separar da toalha de mesa e em como sua querida mãe não poderia desfrutar da agradável surpresa. Então ele disse à varinha:

"Varinha propulsora, sempre disposta e lutadora,
Corra rápido e traga
A toalha de mesa de volta para a minha mão,
E em seu louvor cantarei uma canção."

A varinha correu atrás do soldado e, alcançando-o, começou a espancá-lo, gritando:

— Dos bens dos outros você parece gostar;
"Pare, ladrão, ou tenha certeza de que continuarei a atacar."

O soldado ainda era um homem poderoso e, apesar de sua ferida, virou o rosto, com a intenção de revidar os golpes. Mas a varinha era demais para ele, e ele logo achou a resistência inútil. Então, dominado pela dor, e não pelo medo, jogou fora a toalha de mesa e fugiu.

A varinha fiel devolveu a toalha de mesa ao seu mestre, que, feliz por tê-la novamente, pôs-se a caminho de casa.

Ele logo deixou a floresta, atravessou os campos e avistou a casa de seu pai. A uma pequena distância, seus irmãos o encontraram e disseram:

— Bem, estúpido, onde estão as nozes de ouro?

O tolo olhou e riu na cara deles. Então ele disse à sua varinha:

"Varinha propulsora, sempre disposta e lutadora,

Golpeie com o seu fogo habitual

Meus irmãos, que sempre me repreendem, provocam e preocupam,

Pois despertaram minha ira afinal."

A varinha não precisou de uma segunda rogativa e, saindo de sua mão, começou a golpear violentamente os irmãos, gritando como uma criatura racional:

— Seu irmão muitas vezes sentiu seus golpes, também!

"Agora provem vocês mesmos; espero que gostem!"

Os irmãos foram dominados e sentiram como se água fervente estivesse sendo derramada sobre suas cabeças. Gritando de dor, começaram a correr a toda a velocidade e logo desapareceram, deixando uma nuvem de poeira atrás deles.

A varinha voltou para a mão do tolo. Ele entrou em casa, subiu no fogão e contou à mãe tudo o que havia acontecido. Então ele ordenou:

"Toalha de mesa, que aos pobres,
Famintos e sedentos faz alegrar,
Que aquele que implora de porta em porta
Alimente sem restrição nem recear."

Um assobio foi ouvido no ar, algo brilhou no alto e, em seguida, uma mesa posta como em um banquete real foi colocada diante deles, coberta com carnes delicadas, copos e garrafas de hidromel e vinho. Todo o serviço era de ouro e prata. Quando o tolo e sua mãe estavam prestes a começar o banquete, o pastor entrou. Ele parou, com cara de bobo de tanto espanto, mas foi convidado a participar, começando a comer e beber com grande prazer.

Ao final da refeição, o assobio foi novamente ouvido, e tudo desapareceu por completo.

O pastor partiu apressadamente para a corte, para contar ao rei essa nova maravilha. Então sua majestade enviou um de seus heróis em busca do tolo, que ele encontrou estendido sobre o fogão.

— Se você valoriza sua vida, ouça e obedeça às ordens do rei — disse o paladino. — Ele ordena que você me entregue sua toalha de mesa, então você poderá partilhar de seus favores reais. Mas, se não o fizer, você sempre será um pobre tolo e, além disso, será tratado como um prisioneiro. Nós o ensinaremos como se comportar; você entende?

— Oh, sim, eu entendo.

E então ele pronunciou as palavras mágicas:

"Varinha propulsora, sempre disposta e lutadora,

Vá e açoite aquele sujeito,

O desgraçado mais enganador e perigoso de toda a terra,

Machucando-o até que se prostre ao leito."

A varinha saltou da mão do tolo com a velocidade de um raio e atingiu o paladino três vezes no rosto. Ele imediatamente fugiu, mas a varinha estava atrás dele, atingindo-o o tempo todo e gritando:

"Meras promessas são brincadeira de criança,

O fôlego não desperdice, então;

Mas pense em algo verdadeiro para dizer,

Você é um trapaceiro cruzando nossa direção."

Derrotado e cheio de consternação, o paladino voltou ao rei e contou a ele sobre a varinha e o quanto havia sido espancado. Quando o rei soube que o tolo possuía uma varinha que lutava por conta própria, ele a desejou tanto que por um tempo se esqueceu da toalha de mesa e enviou alguns de seus soldados com ordens para trazê-la até ele.

Quando eles entraram na cabana, o tolo, como sempre, estava deitado sobre o fogão.

— Entregue-nos a varinha imediatamente — disseram eles. — O rei está disposto a pagar qualquer preço que você pedir, mas, se você recusar, ele a tomará à força.

Em vez de responder, o tolo tirou o cinto, dizendo:

"Ó maravilhoso cinto que lagos pode formar,

Para minha segurança, e não para minha diversão,

Leve-me em um barco sobre suas ondas para longe da terra,

Para que dos meus inimigos não precise fugir, não."

Houve um brilho no ar, enquanto no mesmo instante tudo desapareceu, e um belo lago comprido, largo e profundo foi visto, cercado por campos verdes. Peixes com escamas douradas e olhos de pérolas brincavam na água clara. No centro, em um pequeno esquife de prata, remava um homem que os soldados reconheceram como o tolo.

Eles ficaram algum tempo olhando para esse milagre e depois correram para contar ao rei. Quando o rei soube do ocorrido, ficou tão ansioso por possuir o lago, ou melhor, o cinto que o produzia, que enviou um batalhão inteiro de soldados para levar o tolo como prisioneiro.

Dessa vez, eles conseguiram pegá-lo desprevenido enquanto dormia, mas, quando estavam prestes a amarrar suas mãos, ele girou o capacete e disse:

"Ó Capacete Mágico, nunca tu

Falhaste em nem um tiro;

Acalma meus medos agora e,

Sem falha, atira para onde miro."

Instantaneamente, cem balas assobiaram no ar e, em meio a nuvens de fumaça, muitos soldados caíram mortos, outros se refugiaram na floresta, de onde voltaram ao palácio para dar conta do ocorrido ao rei.

Depois disso, o rei reagiu violentamente, furioso por ainda não ter conseguido pegar o tolo. Mas seu desejo de possuir a toalha de mesa festiva, a varinha mágica, o cinto criador de lagos e, acima de tudo, o capacete com seis chifres era mais forte do que nunca.

Tendo refletido por alguns dias sobre as melhores maneiras e meios para alcançar seu objetivo, ele decidiu tentar a tática da bondade e procurou a mãe do tolo.

— Diga a seu filho, o tolo — disse sua majestade à mulher —, que minha encantadora filha e eu enviamos saudações e que consideraremos uma honra se ele vier aqui e nos mostrar as coisas maravilhosas que possui. Se ele se sentir inclinado a me oferecê-las como presente, darei a ele metade do meu reino e farei dele meu herdeiro. Você também pode dizer que a princesa, minha filha, o escolherá para marido.

A boa mulher correu para casa para ter com seu filho, a quem aconselhou aceitar o convite do rei e mostrar-lhe seus tesouros. O tolo enrolou o cinto na cintura, colocou o capacete na cabeça, escondeu a toalha de mesa sob a roupa, pegou a varinha mágica na mão e rumou para a corte.

O rei não estava lá em sua chegada, mas ele foi recebido pelo paladino, que o saudou com cortesia. A música tocava e as tropas prestaram-lhe honras militares. Na verdade, ele foi tratado muito melhor do que esperava. Ao ser apresentado ao rei, ele tirou o capacete e, curvando-se, disse:

— Ó rei, vim colocar à disposição de seu trono minha toalha de mesa, meu cinto, minha varinha e meu capacete. Em troca desses presentes, peço que seus favores se estendam ao mais humilde de seus súditos.

— Diga-me então, tolo, quanto você quer por esses produtos?

— Não quero dinheiro, senhor; um idiota como eu se importa muito pouco com dinheiro. O rei não prometeu à minha mãe que me daria a metade do seu reino e a mão da filha em casamento? Estes são os presentes que reivindico.

Depois dessas palavras, o paladino ficou tomado de inveja pela boa sorte do tolo e fez um sinal para que os guardas entrassem. Os soldados apreenderam o pobre coitado, arrastaram-no para o pátio e mataram-no traiçoeiramente ao som de tambores e trombetas, após o que o cobriram de terra.

Ocorre que, quando os soldados o esfaquearam, seu sangue jorrou e algumas gotas caíram sobre a janela da princesa. A donzela chorou amargamente, molhando o chão manchado de sangue com suas lágrimas. E eis que uma macieira cresceu da terra manchada de sangue. E cresceu tão rapidamente que seus galhos logo tocaram as janelas do quarto. Ao meio-dia estava repleta de flores e, ao fim do dia, maçãs vermelhas maduras pendiam dela. Enquanto a princesa as admirava, notou que uma das maçãs tremia e, quando a tocou, caiu no decote de seu vestido. Isso a atraiu, e ela segurou-a na mão.

Enquanto isso, o sol havia se posto, a noite caíra e todos no palácio estavam dormindo, exceto a guarda, o paladino e a princesa. A guarda, com espadas em punho, patrulhava o castelo, pois esse era seu dever. A princesa brincou com sua linda maçã e não conseguiu dormir. O paladino, que havia ido para a cama, foi despertado por um som que fez seu sangue gelar, pois a varinha vingativa estava diante dele e começou a espancá-lo violentamente. E, embora ele saísse correndo de seus aposentos tentando escapar, ela o seguia, gritando:

"Falso paladino, seu inútil,

Não seja tão invejoso;

Por que agir injustamente, quando você pode

Ser justo e honesto?

Dos bens dos outros você parece gostar;

Pare, ladrão, ou tenha certeza de que continuarei a atacar."

O homem infeliz chorou e implorou por misericórdia, mas a varinha continuou a golpear.

A princesa ficou angustiada ao ouvir esses gritos e molhou sua maçã muito querida com lágrimas. E, por estranho que possa parecer, a maçã cresceu e mudou de forma. Assim, continuando a mudar, de repente se transformou em um jovem bonito, o mesmo que havia sido morto naquela manhã.

— Adorável princesa, eu a saúdo — disse o tolo. — A astúcia do paladino causou minha morte, mas com suas lágrimas você me restaurou à vida. Seu pai prometeu conceder-lhe como minha esposa. Você está disposta?

— Se esse for o desejo do rei, eu concordo — respondeu ela, estendendo-lhe a mão com um olhar terno.

Enquanto falava, a porta se abriu, deixando o capacete entrar. Este se colocou sobre sua cabeça, o cinto envolveu sua cintura, a toalha de mesa se escondeu em um de seus bolsos e a varinha vingativa se colocou em sua mão. Então veio o rei, sem fôlego, imaginando o que era todo aquele barulho. Ele ficou surpreso ao ver o tolo vivo novamente, e ainda mais em companhia da princesa.

O jovem, temendo a ira do rei, gritou:

"Ó maravilhoso cinto que lagos pode formar,

Para minha segurança, e não para minha diversão,

Leve-me em um barco sobre suas ondas para longe da terra,

Para que dos meus inimigos não precise fugir, não."

Houve um brilho no ar, e então tudo desapareceu, enquanto no gramado diante do palácio se formou um grande e profundo lago; em suas águas cristalinas nadavam pequenos peixes com olhos de pérola e escamas de ouro. Para longe rumaram a princesa e o tolo em um esquife de prata. O rei ficou na margem do lago sinalizando para que eles retornassem. Quando voltaram, ajoelharam-se a seus pés e declararam seu amor mútuo. Sua majestade concedeu sua bênção, o lago desapareceu e eles se encontraram novamente nos aposentos da princesa.

O rei convocou uma reunião especial de seu conselho, na qual explicou como as coisas haviam acontecido, que ele havia feito do tolo seu herdeiro, prometido sua filha e colocado o paladino na prisão.

O tolo deu ao rei seus tesouros mágicos e disse a ele que palavras proferir em cada caso.

No dia seguinte, todos os desejos foram realizados. O tolo da família casou-se com a princesa ao mesmo tempo que recebeu metade do reino, com a promessa de sucessão ao trono. E o banquete de casamento, para o qual todos os ricos e nobres da terra foram convidados, excedeu em sua magnificência e esplendor qualquer outra festividade que se tenha visto ou de que se tenha ouvido falar.

OS DOIS IVANS

Eram uma vez dois irmãos, e ambos tinham o nome de Ivan: Ivan, o Rico e Ivan, o Pobre.

Ivan, o Rico tinha pão no forno e carne na mesa, uma casa bem mobiliada e um estábulo bem abastecido, caixas cheias de farinha e depósitos repletos de trigo, além de boas roupas para vestir e comida boa para comer. Suas ovelhas eram gordas, suas vacas eram elegantes e pastavam pelos prados ao longo de um riacho sinuoso. Em suma, ele tinha tudo, mas ninguém para cuidar de seu patrimônio, além dele próprio e sua esposa. Ivan, o Rico não possuía filhos, nem grandes, nem pequenos.

Quanto a Ivan, o Pobre, ele tinha sete filhos e nada em seu nome a não ser um gato que dormia perto do fogo e um sapo no lago. E todos os seus sete filhos sentavam-se em grupo e pediam mingau de trigo sarraceno e sopa de repolho. Mas, infelizmente, não havia nada para lhes dar de comer, nem uma crosta de pão, nem um pedaço de carne.

Não havia como resolver tal situação, então Ivan, o Pobre foi ter com seu irmão rico para pedir-lhe um pouco de comida.

— Bom dia, irmão! — disse ele.

— Bom dia, Ivan, o Pobre! O que o traz aqui?

— Empreste-me um pouco de farinha, irmão. Eu devolverei depois, prometo.

— Muito bem — disse Ivan, o Rico. — Aqui está uma tigela de farinha, mas você terá de me devolver um saco.

— Um saco inteiro em troca de uma tigela! O que você está dizendo, irmão? Você não acha que é demais?

— Bem, se você acha assim, então não me incomode mais e vá mendigar à porta de outro!

Não havia nada que pudesse ser feito e, com lágrimas caindo pelo rosto, Ivan, o Pobre pegou a tigela de farinha e foi para casa. Mas ele mal tinha chegado ao portão de sua casa, quando um vento forte começou a soprar. Zunindo e assobiando, ele veio girando como um tornado na direção de Ivan, o Pobre, e soprou toda a farinha da tigela, deixando apenas um pouco no fundo.

Isso deixou Ivan, o Pobre muito zangado.

— Ah, seu maldito Vento do Norte! — gritou ele. — Você causou grande mal às minhas pobres crianças, você as deixou com fome. Mas espere e verá, eu o acharei e farei pagar por suas maldades!

E Ivan, o Pobre partiu no encalço do Vento. O Vento soprou ao longo da estrada, e Ivan, o Pobre correu atrás dele. O vento correu pela floresta, e Ivan, o Pobre correu atrás dele. Eles encontraram um enorme carvalho, mas, assim que o vento entrou por um buraco, Ivan entrou junto com ele.

Disse o vento quando viu Ivan, o Pobre a seu lado:

— Diga-me, bom homem, por que me persegue?

— Vou lhe dizer se você deseja saber — disse Ivan, o Pobre em resposta. — Eu estava levando um pouco de farinha para meus filhos famintos, e você, malvado que é, voou em minha direção e soprou, espalhando toda a farinha. Como posso voltar para casa de mãos vazias?!

— Oh, é disso que se trata! — disse o vento. — Bem, então não há necessidade de ficar tão contrariado. Aqui está uma toalha de mesa mágica para você: ela lhe dará tudo o que você quiser.

Ivan, o Pobre ficou muito feliz. Ele se curvou diante do Vento e correu para casa.

Assim que chegou a sua casa, ele estendeu a toalha sobre a mesa e disse:

— Toalha, toalha, toalha mágica, dê-nos algo para comer e beber!

Assim que as palavras foram proferidas, eis que surgiu sobre a mesa uma sopa de repolho e uma torta de cogumelos, além de um presunto enorme de encher os olhos.

Ivan, o Pobre e seus filhos comeram até se fartar, depois foram para a cama. Na manhã seguinte, assim que eles se sentaram para tomar o café da manhã, quem adentra a cabana, senão Ivan, o Rico?

Vendo a mesa rangendo sob o peso da comida que havia sobre ela, Ivan, o Rico ficou vermelho de raiva.

— Que é isso que vejo, irmão?! — ele gritou. — Você ficou rico de repente?

— Na verdade, rico não. Mas pelo menos eu nunca mais ficarei sem comida, e sempre haverá o suficiente para lhe oferecer uma refeição também. Oh, isso me lembra: devo-lhe um saco de farinha, não está correto? Bem, você o terá de volta agora mesmo. Toalha, toalha, toalha mágica, dê-me um saco de farinha!

E, assim que as palavras saíram de sua boca, um saco de farinha apareceu por sobre a mesa.

Ivan, o Rico pegou a farinha sem dizer uma palavra e saiu da cabana.

Mas, quando a noite chegou, ele estava de volta para ver seu irmão.

— Seja gentil e ajude-me, irmão — disse ele. — Não me deixe em uma enrascada. Minha casa está cheia de pessoas de uma vila rica que vieram me visitar, e, como o fogão não foi aquecido nem o pão foi cozido, não tenho nada para lhes oferecer. Então, por favor, empreste-me sua toalha de mesa mágica por uma hora ou duas.

E o que Ivan, o Pobre podia fazer a não ser emprestar-lhe a toalha mágica?

Ivan, o Rico alimentou seus convidados e, quando eles partiram, escondeu a toalha de mesa mágica em seu peito, pegou outra exatamente igual, exceto por ser feita de um tecido comum e não mágico, e a levou de volta para Ivan, o Pobre.

— Obrigado, irmão — disse ele. — Jantamos tão bem quanto qualquer um poderia desejar.

Mais tarde, Ivan, o Pobre e seus filhos sentaram-se para comer, e estenderam a toalha sobre a mesa.

— Toalha, toalha, toalha mágica, vamos jantar! — disse Ivan, o Pobre.

E a toalha de mesa permaneceu branca, limpa e brilhante, mas, embora esperassem pacientemente, nenhuma comida apareceu sobre ela.

Vendo isso, Ivan, o Pobre correu para a casa de seu irmão rico.

— O que você fez com minha toalha de mesa mágica, irmão? — perguntou a ele.

— Do que você está falando? Eu a devolvi para você.

Ivan, o Pobre começou a chorar e foi para casa.

Um dia se passou, e mais outro, e seus filhos começaram a chorar e pedir por comida. E não havia nada para lhes dar que comer, nem uma crosta de pão, nem um pedaço de carne. Sem ter o que fazer, Ivan, o Pobre foi ver seu irmão rico novamente.

— Bom dia, irmão! — disse ele.

— Bom dia para você, Ivan, o Pobre! O que o traz aqui?

— Meus filhos estão chorando, estão com muita fome. Dê-me um pouco de farinha, irmão, ou um pedaço de pão.

— Também não tenho nenhuma farinha para dar-lhe, nem pão. Mas há um pote de geleia de aveia na despensa. Você pode levá-lo se quiser. Está sobre o barril perto da porta, e não volte aqui para pedir mais nada.

Ivan, o Pobre pegou o pote de geleia e foi para casa. O dia estava quente, o sol brilhava intensamente e seus raios caíam diretamente por sobre a geleia no prato. A geleia derreteu e sumiu. Nada sobrou além de uma pequena gota no meio da estrada.

Ivan, o Pobre estava com muita raiva.

— Ah, Sol tolo, tolo! — ele gritou. — É apenas um jogo para você, mas significa má sorte para os meus pobres filhos. Eu vou encontrá-lo, e vou fazer você pagar pelo mal que causou.

E Ivan, o Pobre partiu no encalço do Sol. Ele andou e andou, mas o Sol estava sempre à sua frente, e foi apenas ao cair da noite, quando ele desceu por trás da montanha, que lá estava Ivan, o Pobre aguardando por ele.

Disse o Sol quando viu Ivan, o Pobre ao seu lado:

— Venha, Ivan, e diga-me, por que me segue?

— Vou dizer-lhe se você deseja saber — respondeu Ivan, o Pobre. — Eu estava levando geleia de aveia para casa, para alimentar meus filhos famintos, quando você, tolo que é, começou a brilhar cada vez mais forte e a brincar com a geleia. A geleia derreteu e escorreu pela estrada. E, agora, como posso retornar para casa de mãos vazias?!

— Oh, é disso que se trata! — respondeu o Sol. — Fui eu quem fez você sofrer, e eu serei o único a ajudá-lo. Aqui está uma cabra do meu próprio rebanho. Alimente-a com nozes, e ela lhe dará ouro em vez de leite.

Ivan, o Pobre curvou-se diante do Sol e levou a cabra para casa. Ele a alimentou com nozes e depois começou a ordenhá-la. E, em vez de leite, a cabra deu ouro líquido.

A partir daquele dia, a vida de Ivan, o Pobre mudou para melhor e seus filhos sempre tinham o suficiente para comer.

Quando soube da cabra, Ivan, o Rico veio correndo visitar seu irmão.

— Bom dia, irmão! — gritou ele.

— Bom dia para você, Ivan, o Rico.

— Seja gentil e ajude-me, irmão. Empreste-me sua cabra por um tempo. Preciso pagar um dinheiro que devo, e não tenho uma única moeda.

— Muito bem, você pode levá-la, mas não tente enganar-me novamente.

Ivan, o Rico levou a cabra e a ordenhou, e, quando conseguiu ouro suficiente e de sobra, escondeu a cabra em um galpão e pegou uma cabra comum para devolver a seu irmão Ivan, o Pobre.

— Obrigado por me ajudar, irmão — disse ele.

Ivan, o Pobre alimentou a cabra com as nozes e depois começou a ordenhá-la; o leite escorria dos úberes até os cascos, mas não havia nem sinal de ouro.

Ivan, o Pobre correu para seu irmão rico, mas o outro nem quis ouvi-lo.

— Não sei nada sobre isso — disse ele. — Eu devolvi a mesma cabra que você me emprestou.

Ivan, o Pobre começou a chorar e foi para casa. Os dias se passaram, bem como as semanas, e seus filhos começaram a chorar de fome novamente. O inverno havia começado, estava muito frio e não havia nada em casa para dar-lhes de comer, nem uma crosta de pão, nem um pedaço de carne.

Não havia nada que ele pudesse fazer, então Ivan, o Pobre foi até seu irmão rico para pedir comida novamente.

— Meus filhos estão chorando, estão com muita fome, irmão — disse ele. — Empreste-me um pouco de farinha!

— Não tenho farinha nem pão para dar-lhe, mas você pode levar um pouco de sopa de repolho que sobrou de ontem. Está na despensa, em uma panela, e é deliciosa quando comida quente.

Ivan, o Pobre pegou o pote de sopa e foi para casa. Ele andou, andou e, de repente, uma forte geada se abateu sobre ele. O vento uivou e soprou, e foi ficando mais frio a cada minuto. Então a geada começou a brincar com a sopa de repolho. Primeiro, ela espalhou uma camada de gelo sobre a sopa e depois a cobriu com um pouco de neve fina e seca.

Ela continuou a brincar até que a sopa congelou por completo. Não havia nada mais na panela, além de um pequeno pedaço de gelo escuro no fundo.

Ivan, o Pobre estava com muita raiva.

— Ah, sua Geada velha e má de Nariz Vermelho, meu rosto você chicoteou e meus pés você congelou. É apenas um jogo para você, mas significa má sorte para meus filhos. Espere e verá, vou pegá-la e fazer você pagar por sua maldade!

E Ivan, o Pobre partiu no encalço da Geada. Ela rasgou os campos, e Ivan, o Pobre a seguiu. Ela varreu a floresta e Ivan, o Pobre seguiu logo atrás. A Geada parou para descansar embaixo de um grande monte de neve, quando viu Ivan, o Pobre ao seu lado.

Disse a Geada maravilhada:

— Por que você segue meus passos, Ivan? O que quer de mim?

— Bem, se você realmente deseja saber, eu lhe direi — respondeu. — Eu estava levando uma panela com sopa de repolho de ontem para meus filhos, e você começou com suas brincadeiras e congelou tudo. Como posso voltar para casa de mãos vazias?! Meu irmão levou minha toalha de mesa mágica e a cabra que dava ouro em vez de leite, e agora você levou e estragou a sopa de repolho!

— Oh, é disso que se trata! — disse a Geada. — Bem, para compensar você, vou dar-lhe um saco-me-ajude-com-um-golpe. Diga "Dois fora do saco!", e dois grandes porretes vão saltar. Diga 'Dois para dentro do saco!', e os dois retornarão para dentro dele.

Ivan, o Pobre fez uma reverência diante da Geada e foi para casa. Ele entrou em casa, pegou o saco e disse:

— Dois fora do saco!

E eis que dois porretes feitos de pinho saltaram do saco e caíram sobre Ivan, o Pobre e começaram a espancá-lo, dizendo:

— Ivan, o Rico não pensa em nada além de ganhar, ser esperto e enganar você novamente!

Os porretes o espancaram com tanta força, que tudo que Ivan, o Pobre conseguiu fazer foi tentar recuperar o fôlego e gritar "Dois para dentro do saco!". E de uma só vez os dois porretes se arrastaram para dentro do saco e lá ficaram, bem quietos.

A noite mal chegara quando Ivan, o Rico veio correndo para a casa de seu irmão.

— Onde você esteve, Ivan, o Pobre? — ele perguntou. — E o que trouxe de volta com você?

— Fiz uma visita à Geada, irmão, e ela me deu um saco mágico como presente. Você só precisa dizer "Dois fora do saco!", e dois porretes saltarão do saco e farão tudo o que precisa ser feito.

— Seja gentil, Ivan, o Pobre, e empreste-me seu saco por um dia. O teto de minha casa está todo quebrado e não há ninguém para repará-lo.

— Muito bem, Ivan, o Rico, você pode levar meu saco.

Ivan, o Rico levou o saco para casa e trancou a porta.

— "Dois fora do saco!" — ele gritou.

E eis que dois porretes feitos de pinho brotaram do saco. Eles caíram sobre Ivan, o Rico e começaram a espancá-lo, dizendo:

— O que pertence ao seu irmão não é para você, devolva-lhe a cabra e a toalha de mesa também!

Ivan, o Rico correu para a casa de seu irmão, e os dois porretes voaram atrás dele, espancando-o duramente.

— Salve-me, Ivan, o Pobre! — implorou Ivan, o Rico. — Eu lhe devolverei a toalha de mesa mágica e a cabra.

— Dois no saco! — gritou Ivan, o Pobre.

E imediatamente os dois porretes saltaram para dentro do saco e lá permaneceram silenciosamente. E Ivan, o Rico arrastou-se para sua casa mais morto do que vivo e retornou trazendo a toalha de mesa mágica e a cabra que dava ouro em vez de leite.

Daquele dia em diante, Ivan, o Pobre e sua família gozaram de boa saúde e tornaram-se mais ricos a cada ano. E, se você olhar para sua casa hoje, verá todas as sete crianças sentadas em grupo, comendo mingau de trigo sarraceno e sopa de repolho. As colheres que eles usam são alegremente coloridas, suas tigelas são feitas de madeira, há manteiga no mingau, e a sopa é deliciosa!

VASSILÍSSA, A BELA

Vassilissa - Arte: Ivan Bilibin

Vassilíssa era a filha mais velha do bogatyr *Mikula Selianinovitch, lavrador que simboliza a força do campesinato e um dos personagens mais importantes do folclore eslavo. Ela, entretanto, era uma corajosa espadachim e arqueira, além de contar com uma mente bem aguçada. Todas essas qualidades contribuíram muito para suas vitórias, especialmente quando entrou em conflito com o príncipe Vladimir, de Kiev.*

Nesta história, Vassilíssa é uma personagem do tipo Cinderela, que possui uma boneca mágica. Sua mãe morreu e o pai se casou novamente com uma mulher horrível, com filhas igualmente desagradáveis. Quando o pai de Vassilíssa parte para uma viagem, a nova madrasta vende a casa onde moravam e leva as três meninas para um chalé na floresta. Lá, dá às filhas tarefas impossíveis de serem concluídas à luz de velas. É quando Vassilíssa se aventura fora de casa, a pedido de suas irmãs adotivas, em busca de mais luz. Nessa busca, ela encontra Baba Yaga, que propõe inúmeras tarefas difíceis a Vassilíssa em troca de luz para levar para sua casa. Com a ajuda da boneca, Vassilíssa completa todas as tarefas e recebe a luz dentro de uma lanterna em forma de caveira, que incinera sua horrível nova família assim que ela retorna para casa. Inevitavelmente, a história de Vassilíssa tem um final feliz, com seu casamento com o czar da Rússia, mas o papel de Baba Yaga em sua história é o mais intrigante.

Baba Yaga representa tanto um obstáculo para Vassilíssa quanto uma salvação, pois, sem a lanterna, Vassilíssa nunca estaria livre de sua cruel família adotiva. No entanto, a maneira pela qual Baba Yaga a liberta é terrível, revelando-a como uma mulher perigosa e sem moral. Ao contrário da fada madrinha da história original da Cinderela, Baba Yaga parece mais como uma madrasta malvada que permite que a filha mutile o pé para que caiba no sapatinho de cristal. Baba Yaga se esforça para libertar Vassilíssa, instigando três mortes dolorosas — além de causar muito sofrimento a Vassilíssa antes de deixá-la sair da cabana —, em vez de apenas ajudar Vassilíssa a escapar de sua família adotiva.

Há muito, muito tempo, no reino do Czar, vivia um velho, sua esposa e sua filha Vassilíssa. Eles tinham apenas uma pequena cabana por casa, mas a vida deles era pacífica e feliz. No entanto, mesmo o céu mais brilhante pode ficar nublado, e o infortúnio chegou até eles. A esposa ficou gravemente doente e, sentindo que seu fim estava próximo, chamou Vassilíssa em seu leito de morte, deu-lhe uma pequena boneca e disse:

— Faça exatamente o que lhe digo, minha filha. Cuide bem desta pequena boneca e nunca a mostre a ninguém. Se algo ruim lhe acontecer, dê à boneca algo para comer e peça seu conselho. Ela a ajudará sempre que precisar.

E, dando a Vassilíssa um último beijo de despedida, a mãe faleceu. O velho pai ficou triste por um tempo, e depois se casou novamente. Ele pensou em dar uma segunda mãe a Vassilíssa, mas, em vez disso, deu-lhe uma madrasta cruel.

A madrasta tinha duas filhas, duas das jovens mais maldosas, cruéis e difíceis de agradar que já se viram. A madrasta amava-as muito e sempre as cobria de beijos e abraços, mas Vassilíssa a incomodava e ela nunca a deixou ter um momento de paz. Vassilíssa sentia-se muito infeliz por sua madrasta e irmãs a repreenderem o tempo todo, fazendo-a trabalhar além de suas forças. Elas esperavam que Vassilíssa ficasse magra e abatida com todo aquele trabalho, e que seu rosto ficasse feio e escuro pela exposição ao vento e ao sol. Durante todo o dia elas gritavam com Vassilíssa, ora uma, ora outra:

— Venha, Vassilíssa! Onde você está, Vassilíssa? Pegue a madeira, não seja lerda! Acenda o fogo, misture a massa! Lave os pratos, ordenhe a vaca! Esfregue o chão, rápido! Trabalhe direito e não demore o dia todo!

Vassilíssa fazia tudo o que lhe mandavam e sempre realizava suas tarefas na hora certa. E, a cada dia que passava, ela ficava mais e mais bonita. Tal era a sua beleza que não podia ser retratada ou descrita, mas era uma verdadeira maravilha e alegria de se ver. E era sua pequena boneca que a ajudava em tudo. De manhã cedo, Vassilíssa ordenhava a vaca e, depois, trancava-se na despensa, então dava um pouco de leite para a boneca, dizendo:

— Venha, bonequinha, beba seu leite, minha querida, e eu vou contar todos os meus problemas em seu ouvido, seu ouvido!

E a boneca bebia o leite e confortava Vassilíssa, fazendo todo o trabalho em seu lugar. Vassilíssa sentava-se à sombra, entrelaçando flores em sua trança, e, antes que ela percebesse, os canteiros estavam livres das ervas daninhas, a água havia sido reabastecida, o fogo estava aceso e o repolho regado. A boneca mostrou a ela uma erva para ser usada contra queimaduras solares, e Vassilíssa usou e ficou mais bonita do que nunca.

Um dia, no final do outono, o velho precisou ausentar-se de casa em viagem e ficaria fora por algum tempo. A madrasta e as três irmãs foram deixadas sozinhas. Elas sentaram-se na cabana e estava escuro lá fora. Chovia muito e o vento zunia. A cabana ficava à beira de uma floresta densa, e nessa floresta vivia Baba Yaga, uma bruxa muito astuta, que engolia as pessoas num piscar de olhos.

Agora, para cada uma das três irmãs, a madrasta deu uma tarefa que realizar: a primeira ela mandou tecer rendas, a segunda tecer meias de tricô, e Vassilíssa trabalhar no tear. Então, apagando todas as luzes da casa, exceto por uma única lasca de bétula que queimava no canto onde as três irmãs estavam trabalhando, ela foi dormir. A lasca estalou e estalou por um tempo, e depois apagou.

— O que devemos fazer? — gritaram as duas filhas da madrasta. — Está escuro na cabana, e devemos trabalhar. Uma de nós terá de ir à casa de Baba Yaga e pedir por luz.

— Eu não vou — disse a mais velha das duas. — Estou tecendo rendas, e minha agulha é brilhante o suficiente para que eu consiga enxergar.

— Eu também não vou — disse a segunda. — Estou tricotando meias, e minhas duas agulhas são brilhantes o suficiente para que eu consiga enxergar.

Então as duas gritaram:

— Vassilíssa é a pessoa, ela deve ir em busca da luz! Vá para a casa de Baba Yaga agora mesmo, Vassilíssa!

E elas empurraram Vassilíssa para fora da cabana.

A escuridão da noite a envolvia, assim como a densa floresta e o vento selvagem. Vassilíssa estava assustada, começou a chorar, e foi então que tirou sua bonequinha do bolso.

— Ó minha querida bonequinha — disse ela entre soluços —, elas estão me enviando para a casa de Baba Yaga em busca de luz, e Baba Yaga devora as pessoas inteiras com ossos e tudo.

— Não tema — respondeu a boneca —, você ficará bem. Nada ruim pode acontecer com você enquanto eu estiver ao seu lado.

— Obrigada por me confortar, bonequinha — disse Vassilíssa, e ela seguiu seu caminho.

A floresta erguia-se diante dela como uma parede e, no céu acima, não havia sinal da lua crescente e brilhante, nem estrela alguma fulgia. Vassilíssa andava tremendo e segurando a pequena boneca junto do peito. De repente, ela viu um homem em seu cavalo, galopando. Ele estava todo vestido de branco, seu cavalo era branco e os arreios do cavalo eram prateados e brilhavam na escuridão. Estava amanhecendo agora, e Vassilíssa seguiu em frente, tropeçando e roçando os dedos dos pés contra as raízes e tocos das árvores. Gotas de orvalho brilhavam na longa trança de seu cabelo, e suas mãos estavam frias e dormentes. De repente, outro cavaleiro passou a galope. Ele estava vestido de vermelho, seu cavalo era vermelho e os arreios do cavalo também eram vermelhos. O sol nasceu, beijou Vassilíssa, aqueceu-a e secou o orvalho em seu cabelo.

Vassilíssa continuou caminhando por um dia inteiro e, ao cair da noite, alcançou uma pequena clareira. Ela olhou e viu que havia uma cabana ali. A cerca em volta da cabana era feita de ossos humanos e coroada com crânios. O portão não era um portão, mas, sim, os ossos das pernas de homens; os parafusos não eram parafusos, mas os ossos dos braços de homens; e o cadeado não era cadeado, mas um conjunto de dentes afiados.

Vassilíssa ficou horrorizada e permaneceu imóvel. De repente um cavaleiro veio galopando. Ele estava vestido de preto, seu cavalo era preto e os arreios do cavalo também eram pretos. O cavaleiro galopou até o portão e desapareceu no ar. A noite caiu, e eis que os olhos dos crânios que coroavam a cerca começaram a brilhar, e ficou tão claro como se fosse dia. Vassilíssa tremeu de medo. Ela não conseguia mexer os pés, que pareciam ter congelado naquele local e se recusavam a levá-la para longe dali.

De repente, ela sentiu a terra tremendo sob seus pés, e viu Baba Yaga voando em um almofariz, balançando o pilão como um chicote e varrendo seu rastro com uma vassoura. Ela voou até o portão e, farejando o ar, gritou:

— Sinto cheiro de carne russa! Quem está aí?

Vassilíssa veio até Baba Yaga, inclinou-se diante dela e disse muito humildemente:

— Sou eu, Vassilíssa, vovó. Minhas irmãs me enviaram para pedir por luz.

— Oh, é você, não é? — Baba Yaga respondeu. — Sua madrasta é uma parenta minha. Muito bem, então, fique comigo por um tempo e trabalhe, e depois veremos o que pode ser feito.

E ela gritou bem alto:

— Permaneçam destrancados, meus fortes ferrolhos! Abra-se, meu largo portão!

O portão se abriu, Baba Yaga entrou em seu almofariz e Vassilíssa foi atrás dela.

No portão crescia uma bétula, que parecia querer chicotear Vassilíssa com seus galhos.

— Não toque na serva, bétula, fui eu quem a trouxe", disse Baba Yaga.

Elas foram em direção à casa, e à porta havia um cachorro, que ameaçou morder Vassilíssa.

— Não toque na serva, fui eu quem a trouxe", disse Baba Yaga.

Elas entraram, e um gato velho e resmungão veio ao seu encontro e fez menção de arranhar Vassilíssa.

— Não toque na serva, seu velho gato resmungão, fui eu quem a trouxe — disse Baba Yaga.

— Veja, Vassilíssa — acrescentou virando-se para ela —, não é fácil fugir de mim. Meu gato vai arranhá-la, meu cachorro vai mordê-la, minha árvore vai açoitá-la e arrancar seus olhos, e meu portão não abrirá para deixar você sair.

Baba Yaga entrou em seu quarto e se esticou em um banco.

— Venha, serva de sobrancelhas negras, prepare-nos algo para comer — ela gritou.

E a criada de sobrancelhas negras entrou e começou a alimentar Baba Yaga. Ela trouxe uma panela de sopa de beterraba e meia vaca, dez jarras de leite, um porco assado, vinte galinhas e quarenta gansos, duas tortas inteiras e um pedaço extra, sidra e hidromel, cerveja caseira, cerveja do barril e um balde de *kvass*.

Baba Yaga comeu e bebeu tudo, mas só deu a Vassilíssa um pedaço de pão.

— E agora, Vassilíssa — disse ela —, pegue este saco de milho e escolha semente por semente. E lembre-se de remover todos os grãos pretos, pois do contrário eu a devorarei.

E Baba Yaga fechou os olhos e começou a roncar. Vassilíssa pegou o pedaço de pão, colocou-o diante de sua bonequinha e disse:

— Venha, bonequinha, coma este pão, minha querida, e eu vou contar todos os meus problemas em seu ouvido, seu ouvido! Baba Yaga me deu uma tarefa difícil, e ela ameaça devorar-me se eu não a fizer.

Disse a boneca em resposta:

— Não tenha medo e não chore, feche os olhos e vá dormir. A manhã é mais sábia que a noite.

E, no momento que Vassilíssa adormeceu, a boneca gritou bem alto:

— Chapim azulado, pombos, pardais, ouçam meu chamado: há trabalho a fazer. De sua ajuda, meus amigos emplumados, depende a vida de Vassilíssa. Venham atender meu chamado! Todos vocês são necessários, todos.

E os pássaros vieram voando de todas as direções, bandos e bandos deles, mais do que os olhos podiam ver ou as palavras podiam descrever. Eles começaram a chilrear e arrulhar, montaram uma excelente força-tarefa e começaram a escolher o milho semente por semente, muito rapidamente. No saco, foram colocadas as boas sementes, e as pretas foram descartadas, e, antes que eles se dessem conta, a noite havia passado e o saco estava cheio até o topo. Eles tinham acabado naquele instante, quando o cavaleiro branco galopou passando pelo portão em seu cavalo branco. O dia estava amanhecendo.

Baba Yaga acordou e perguntou:

— Você fez o que eu lhe disse para fazer, Vassilíssa?

— Sim, está tudo pronto, vovó.

Baba Yaga estava com muita raiva, mas não havia mais nada a ser dito.

— Humph! — Ela bufou — Eu vou caçar, e você pegue esse saco cheio de ervilhas e sementes de papoula. Separe as ervilhas das sementes e arrume-as em dois montes separados. E lembre-se, se você não fizer isso, eu a devorarei.

Baba Yaga saiu para o quintal, assobiou, e o almofariz e o pilão vieram até ela.

O cavaleiro vermelho passou a galope e o sol surgiu no horizonte.

Baba Yaga entrou no almofariz e deixou o quintal, balançando o pilão como um chicote e varrendo seu rastro com uma vassoura.

Vassilíssa pegou uma crosta de pão, alimentou sua bonequinha e disse:

— Tenha pena de mim, pequena boneca, minha querida, e ajude-me.

E a boneca chamou em voz alta:

— Vinde a mim, ratos da casa, do celeiro e do campo, pois há trabalho que ser feito!

E os ratos vieram correndo, montes deles, mais do que os olhos podiam ver ou as palavras podiam descrever, e, antes que uma hora se passasse, o trabalho estava terminado.

A noite estava se aproximando, e a criada de sobrancelhas negras colocou a mesa e começou a aguardar pelo retorno de Baba Yaga.

O cavaleiro preto passou a galope pelo portão, a noite caiu e os olhos dos crânios que coroavam a cerca começaram a brilhar. E agora as árvores gemeram e estalaram, as folhas farfalharam, e Baba Yaga, bruxa astuta que engolia as pessoas num piscar de olhos, voltou para casa.

— Você fez o que eu lhe disse para fazer, Vassilíssa? — ela perguntou.

— Sim, está tudo pronto, vovó.

Baba Yaga estava com muita raiva, mas o que ela poderia dizer?

— Bem, então vá para a cama. Eu vou me deitar em um minuto.

Vassilíssa foi para trás do fogão e ouviu Baba Yaga dizer:

— Acenda o fogão, serva de sobrancelhas negras, e aqueça bem o fogo. Quando eu acordar, assarei Vassilíssa.

E Baba Yaga deitou-se em um banco, colocou o queixo em uma prateleira, cobriu-se com o pé e começou a roncar tão alto que toda a floresta tremia e balançava.

Vassilíssa começou a chorar e, pegando sua boneca, colocou uma crosta de pão diante dela.

— Venha, bonequinha, coma um pouco de pão, minha querida, e eu vou contar todos os meus problemas em seu ouvido, seu ouvido. Baba Yaga quer me assar e comer — disse ela.

E a boneca disse-lhe o que ela deveria fazer para sair daquela situação sem mais delongas.

Vassilíssa correu para a criada de sobrancelhas negras e curvou-se diante ela.

— Por favor, empregada de sobrancelhas negras, ajude-me! — ela chorou. — Quando você acender o fogão, coloque água sobre a madeira para que não queime como deveria. Aqui está o meu lenço de seda como recompensa por me ajudar.

Disse a criada de sobrancelhas negras em resposta:

— Muito bem, minha querida, eu vou ajudá-la. Levarei um longo tempo aquecendo o fogão, e vou fazer cócegas nos calcanhares de Baba Yaga, para que ela durma profundamente a noite toda. E então você foge, Vassilíssa!

— Mas os três cavaleiros não vão me pegar e me trazer de volta?

— Oh, não — respondeu a criada de sobrancelhas escuras. — O cavaleiro branco é o dia claro, o cavaleiro vermelho é o sol dourado, e o cavaleiro preto é a noite negra, e eles não vão tocar em você.

Vassilíssa correu pela passagem, e o gato velho e resmungão correu em sua direção e estava prestes a arranhá-la. Mas ela jogou um pedaço de torta para ele, e ele não a tocou.

Vassilíssa desceu correndo pela varanda, e o cachorro disparou e estava prestes a mordê-la. Mas ela jogou um pedaço de pão para ele, e o cachorro a deixou ir.

Vassilíssa começou a correr para fora do quintal, e o vidoeiro tentou chicoteá-la e arrancar seus olhos. Mas ela o amarrou com uma fita, e a árvore a deixou passar.

O portão estava prestes a fechar diante dela, mas Vassilíssa lubrificou suas dobradiças, e ele se abriu.

Vassilíssa correu para a floresta escura, e somente então o cavaleiro negro galopou, e ficou escuro como breu por toda parte. Como ela conseguiria voltar para casa sem luz? O que ela faria? Por que sua madrasta a queria morta?

Então, ela pediu à sua bonequinha para ajudá-la e fez o que a boneca lhe disse para fazer.

Ela pegou um dos crânios da cerca e, montando-o em uma vara, partiu através da floresta. Seus olhos brilhavam, e com essa luz a noite escura tornou-se tão brilhante quanto o dia.

Quanto a Baba Yaga, ela acordou e se espreguiçou, e, vendo que Vassilíssa havia fugido, correu para a passagem.

— Você arranhou Vassilíssa quando ela passou, gato? — ela perguntou.

E o gato respondeu:

— Não, eu a deixei passar, pois ela me deu um pedaço de torta. Eu a servi por dez anos, Baba Yaga, mas você nunca me deu nem uma crosta de pão.

Baba Yaga correu para o quintal.

— Você mordeu Vassilíssa, meu fiel cachorro? — ela perguntou.

Disse o cachorro em resposta:

— Não, eu a deixei passar, pois ela me deu um pouco de pão. Eu a servi por tantos anos, mas você nunca me deu um osso.

— Bétula, bétula! — Baba Yaga rugiu. — Você arrancou os olhos de Vassilíssa?

Disse a bétula em resposta:

— Não, eu a deixei passar, pois ela amarrou meus galhos com uma fita. Eu cresci aqui por dez anos e você nunca os amarrou com uma fita.

Baba Yaga correu para o portão.

— Portão, portão! — ela gritou. — Você fechou diante de Vassilíssa para que ela não pudesse passar?

Disse o portão em resposta:

— Não, eu a deixei passar, pois ela lubrificou minhas dobradiças. Eu servi você por tanto tempo, mas você nunca me lubrificou.

Baba Yaga ficou muito irritada. Ela começou a bater no cachorro e espancar o gato, arrombar o portão e derrubar a bétula, e ela ficou tão cansada que até se esqueceu de Vassilíssa.

Vassilíssa correu para casa e viu que não havia luz acesa lá dentro. Suas irmãs adotivas vieram correndo ao seu encontro e começaram a repreendê-la e censurá-la.

— Por que você demorou tanto tempo buscando a luz? — elas reclamaram. — Nós não conseguimos iluminar a casa. Tentamos acender a luz de novo e de novo, mas sem sucesso, e as que recebemos dos vizinhos apagaram assim que foram trazidas para dentro da casa. Talvez a sua continue acesa.

Elas levaram o crânio para dentro da cabana, e seus olhos se fixaram na madrasta e nas duas filhas e as queimaram como fogo. A madrasta e suas filhas tentaram se esconder, mas não importava para onde corressem, os olhos as seguiam e nunca as perdiam de vista.

Pela manhã, todas as três estavam queimadas e haviam virado cinza. Apenas Vassilíssa permanecia ilesa.

Ela enterrou o crânio do lado de fora da cabana, e um arbusto de rosas vermelhas cresceu no local.

Depois disso, não querendo mais permanecer na cabana, Vassilíssa foi para a cidade morar na casa de uma velha senhora.

Um dia, ela disse à velha senhora:

— Estou cansada de ficar aqui sentada sem fazer nada, vovó. Compre-me um pouco de linho, o melhor que você encontrar.

A velha comprou o linho, e Vassilíssa começou a tecer. Ela trabalhou rápido e com perfeição; ao zumbido da roda giratória, o fio dourado saía uniforme e fino como um cabelo. Ela começou a tecer, e o tecido ficou tão fino que poderia passar pelo buraco de uma agulha, como um fio. Ela branqueou o tecido, e ele ficou mais branco que a neve.

— Aqui, vovó — disse ela —, vá e venda o tecido e fique com o dinheiro para a senhora.

A velha olhou para o tecido e suspirou:

— Não, minha filha, esse tecido só pode ser usado por um czar. É melhor levá-lo para o palácio.

Ela levou o tecido para o palácio e, quando o czar o viu, não pôde conter a admiração.

— Quanto você quer por ele? — ele perguntou.

— Este tecido é fino demais para ser vendido; eu lhe trouxe como um presente.

O czar agradeceu a velha senhora, a cobriu de presentes e a mandou de volta para casa.

Mas ele não encontrou ninguém que pudesse fazer-lhe uma túnica com aquele tecido, pois o trabalho tinha de ser tão delicado quanto o tecido. Então ele mandou buscar a velha senhora novamente e disse-lhe:

— Você teceu este fino tecido, então deve saber como fazer uma túnica com ele.

— Não fui eu que fiei esse tecido, czar, mas uma criada chamada Vassilíssa.

— Bem, então deixe-a fazer a túnica.

A velha foi para casa e contou tudo a Vassilíssa.

Vassilíssa fez duas túnicas, bordou-as com fios de seda, cravejou-as com grandes pérolas redondas e, dando-as para a velha senhora levar ao palácio, sentou-se à janela com um pedaço de bordado.

Ela não pôde acreditar em seus olhos quando avistou um dos servos do czar correndo em sua direção.

— O czar pede que você vá ao palácio — disse o servo.

Vassilíssa foi ao palácio e, vendo-a, o czar ficou apaixonado por sua beleza.

— Não suportaria deixá-la ir novamente; você será minha esposa — disse ele.

Ele pegou suas mãos brancas como o leite e a colocou no trono ao lado do seu.

E assim Vassilíssa e o czar se casaram, e, quando o pai de Vassilíssa retornou de viagem, fez do palácio sua casa também.

Vassilíssa levou a velha senhora para morar com ela também e, quanto à sua pequena boneca, ela sempre a carregava no bolso.

E assim eles estão vivendo até hoje, esperando que cheguemos para uma visita.

SUPERSTIÇÕES ESLAVAS

Os povos eslavos são especialmente supersticiosos. Superstição mescla-se com religião muitas vezes em sua cultura, e tentar evitar a má sorte é uma tradição comum. Ainda que compartilhem de várias superstições comuns ao mundo inteiro, como bater na madeira e evitar passar embaixo de uma escada, eles têm também algumas bem peculiares.

SILÊNCIO ANTES DE VIAJAR

Antes de embarcar em qualquer viagem, a superstição diz que todos os membros da família ou grupo devem sentar-se em silêncio — mesmo que nem todos viajem. Não precisa ser por muito tempo, mas isso garantirá que a viagem seja segura.

COLOCAR GARRAFAS VAZIAS NO CHÃO

Não importa se a sua bebida preferida é vinho ou vodka — para evitar azar, deve-se sempre colocar as garrafas no chão.

Diz a lenda que a prática começou quando os soldados cossacos levaram Napoleão de volta para a França em 1814. Os soldados descobriram que os donos de restaurantes parisienses cobravam dos clientes por garrafa vazia deixada sobre a mesa em vez de por garrafa pedida, e assim os cossacos astuciosamente as escondiam debaixo da mesa. Quando os soldados voltaram para a Rússia, eles trouxeram o costume com eles.

CUSPIR POR CIMA DO OMBRO

Para evitarem ser amaldiçoados em algo, os russos baterão na madeira ou cuspirão três vezes por cima do ombro esquerdo. Se você não quiser cuspir, pode sempre imitar o som dizendo "fu-fu-fu".

SENTAR NO CHÃO FRIO

Certifique-se de nunca se sentar diretamente no chão frio, ou em qualquer superfície fria — caso contrário, você não poderá ter filhos.

TER O MESMO NOME

Muitas vezes parece que existem apenas cerca de dez nomes em russo. Quase todas as mulheres que você conhece são Natasha, ou Masha, ou Ira, e todos os homens, Alexander, ou Dmitry, ou Alexei. Existe uma superstição relacionada a conhecer pessoas que têm o mesmo nome, mas felizmente — já que é algo que acontece com frequência —

essa superstição traz boa sorte, não má. Se você se encontrar sentado entre duas pessoas com o mesmo nome, então faça um pedido — mas não conte a ninguém, caso contrário ele não se tornará realidade.

NÃO ASSOBIE DENTRO DE CASA

Assobiar dentro de casa significa que você desperdiçará seu dinheiro e terá problemas financeiros no futuro.

COMEMORAR O ANIVERSÁRIO ANTES

Embora você possa pensar que dizer "Feliz Aniversário adiantado!" a alguém seja uma coisa boa, na verdade isso é considerado azar. Deve-se esperar até o dia para desejar feliz aniversário a alguém.

SOLUÇOS

Se você tiver soluços, significa que alguém está pensando em você. A maneira mais rápida de se livrar deles é começar a dizer o nome de várias pessoas. Se seus soluços pararem em um determinado nome, você descobriu quem estava pensando em você.

NADA DE SENTAR-SE NA PONTA

Pessoas solteiras não devem sentar-se no canto da mesa. Caso contrário, elas não vão casar-se. Isso se aplica principalmente a meninas. Às vezes, diz-se que o indivíduo afetado não vai casar-se nos próximos sete anos, o que torna normal que crianças pequenas fiquem sentadas ali.

SAÚDE!

Na Sérvia, nunca diga "Živeli" ("Saúde") com bebidas que não sejam álcool, e sempre tome um gole do copo antes de colocá-lo de volta na mesa. Além disso, nunca entre na casa de alguém levando alguma coisa em formato de cruz, porque você está trazendo azar para seus anfitriões.

102, O NÚMERO DA SORTE

Na Polônia, como em muitos outros países, o número 13 costuma ser considerado um número de azar. Que tal números da sorte? Todo mundo tem seu próprio, é claro, mas, na Polônia, o número 102 é considerado especialmente sortudo. Você pode usar 102 como um amuleto de boa sorte ou pode descrever algo positivo com ele, por exemplo: "Będzie impreza na sto dwa!" — "Vai ser uma festa de 102!".

NÃO CONTE OS *PIEROGI*

Falando de números, lembre-se de nunca contar os *pierogi* na Polônia enquanto eles ainda estiverem fervendo! Se alguém os contar enquanto ainda estiverem na panela, sem dúvida, metade deles vai acabar presa no fundo da panela ou se rasgar, deixando sair todo o recheio.

NÃO SE SENTE ENQUANTO ESTIVER ASSANDO UM BOLO

Quando um bolo está no forno, você nunca deve sentar-se. Se você fizer isso, o bolo também "assentará": ele afundará e ficará achatado, em vez de ficar bom e fofo.

CASAR EM UM MÊS "R"

Se você estiver planejando um casamento, certifique-se de definir a data em um mês que tenha a letra "r" no nome polonês. Acredita-se que um casamento que ocorra nesses meses será abençoado com boa sorte. Portanto você pode escolher entre *marzec* (março), *czerwiec* (junho), *sierpień* (agosto), *wrzesień* (setembro), *październik* (outubro) e *grudzień* (dezembro).

NUNCA DÊ UM RELÓGIO DE PRESENTE

Ainda hoje, no século XXI, dar relógios de presente é considerado inadequado na Ucrânia. Essa superstição vem da China, onde presentear alguém com relógios era um convite para um funeral. Os ucranianos, por sua vez, passaram a acreditar que os ponteiros se refiram a objetos pontiagudos, também indesejáveis de dar de presente, e sejam um sinal para brigas e insultos mútuos. Mas, se por acaso você receber um relógio, basta fornecer uma moeda ao doador — como se você mesmo tivesse comprado o relógio.

NUNCA CELEBRE O 40º ANIVERSÁRIO

Quarenta anos é a única data que não é comemorada na Ucrânia, principalmente entre os homens. Essa superstição surgiu por causa da conexão entre o número 40 e a morte. Durante a época da Rússia de Kiev, os corpos dos mortos tinham até quarenta dias para que fosse detectada a causa de sua morte. Até agora, o número 40 está diretamente associado às tradições funerárias. Ele coincide com um dia de memorial da morte e é considerado fatal.

COCEIRAS

Se seu olho direito coçar, você ficará feliz em breve. Se seu olho esquerdo coçar, você ficará triste. Se seus lábios coçarem, você beijará alguém em breve. Se sua mão direita coçar, você receberá dinheiro em breve. Às vezes significa que você vai cumprimentar alguém. Se sua mão esquerda coçar, você dará dinheiro a alguém.

CONVIDADOS

Se um garfo ou uma colher cair no chão, espere a visita de alguma mulher. Se uma faca cair, espere um convidado do sexo masculino. Se você vir um gato limpando o rosto, espere convidados em breve.

Se alguém estava falando sobre você antes de você entrar na sala, então você terá uma vida longa e rica.

Se estiver chovendo quando você sair de um lugar, isso significa que você retornará, e é geralmente considerado um bom presságio.

O ALFABETO CIRÍLICO

O alfabeto cirílico é um sistema de escrita cujas variantes são utilizadas para a grafia de seis línguas nacionais eslavas (bielorrusso, búlgaro, macedônio, russo, sérvio e ucraniano, além do ruteno e outras línguas já extintas). Além dos idiomas eslavos mencionados, ele também é usado para escrever outras línguas minoritárias faladas na antiga União Soviética, como o cazaque, o mongol, o usbeque, o quirguiz e o tajique, entre outras da Europa Oriental, do Cáucaso e da Sibéria.

Acredita-se comumente que o glagolítico, a versão mais antiga do alfabeto cirílico, tenha sido criado por São Cirilo, um monge bizantino da Tessalônica, embora haja controvérsias sobre essa história. A versão conta que ele e seu irmão, São Metódio, foram enviados pelo imperador bizantino Miguel III, em 863, à Grande Morávia para espalhar o cristianismo entre os eslavos ocidentais da região. Os irmãos decidiram traduzir livros litúrgicos para a língua eslava antiga, compreensível para a população em geral (hoje conhecido como Antigo Eslavo Eclesiástico). Como as palavras dessa língua não podiam ser escritas facilmente usando os alfabetos grego ou latino, Cirilo decidiu inventar essa nova escrita, que ele baseou no dialeto local das tribos eslavas com que teve contato.

O nome do sistema de escrita deriva da palavra *glagola*, que em búlgaro antigo significa *palavra*. Da mesma raiz, a palavra *glagolati* significa *falar*, e, por isso, algumas pessoas referem-se poeticamente ao glagolítico como "os sinais, ou os símbolos que falam".

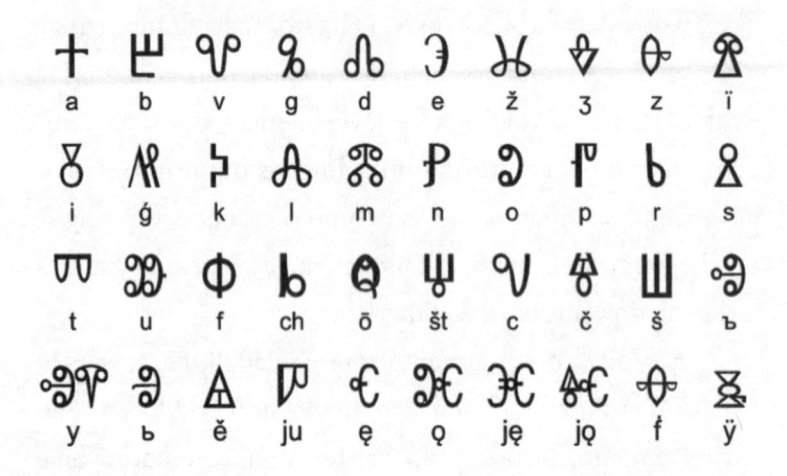

O sistema de escrita glagolítico

Manuscrito eslavo antigo em glagolítico

O alfabeto glagolítico foi caindo em desuso e entrou em colapso, de modo que, em meados do século XIX, a escrita era puramente litúrgica. Com o passar do tempo, surgiu o alfabeto cirílico, que foi amplamente desenvolvido e difundido durante o Primeiro Império Búlgaro. Por esse motivo, muitos defendem que o alfabeto cirílico seja chamado de alfabeto búlgaro.

Mais tarde, a nova escrita tornou-se a base dos alfabetos usados em várias línguas, especialmente aquelas de origem eslava ortodoxa. Em cada uma das línguas, esse alfabeto antigo foi modificado e padronizado de diferentes formas para representar os sons de cada idioma, de tal modo que não podemos falar em um *alfabeto cirílico moderno padrão*.

Аа	Бб	Вв	Гг	Дд	Ее	Ёё	Жж	Зз
a	b	v	g	d	e	jo	ž	z
[a]	[b]	[v]	[g]	[d]	[ye]	[yo]	[ž]	[z]

Ии	Йй	Кк	Лл	Мм	Нн	Оо	Пп	Рр
i	j	k	l	m	n	o	p	r
[i]	[y]	[k]	[l]	[m]	[n]	[o]	[p]	[r]

Сс	Тт	Уу	Фф	Хх	Цц	Чч	Шш	Щщ
s	t	u	f	x	c	č	š	šč
[s]	[t]	[u]	[f]	[x]	[ts]	[tç]	[š]	[ç]

Ъъ	Ыы	Ьь	Ээ	Юю	Яя
'	y	"	è	ju	ja
silent	[ɯɨ]	silent	[e]	[yu]	[ya]

O alfabeto russo atualmente

Na Rússia, o cirílico foi escrito pela primeira vez no início da Idade Média, em letras grandes, bem definidas e legíveis. Mais tarde, desenvolveu-se a escrita cursiva, que é, definitivamente, bem menos definida e mais confusa de ler.

Trecho em letra cursiva

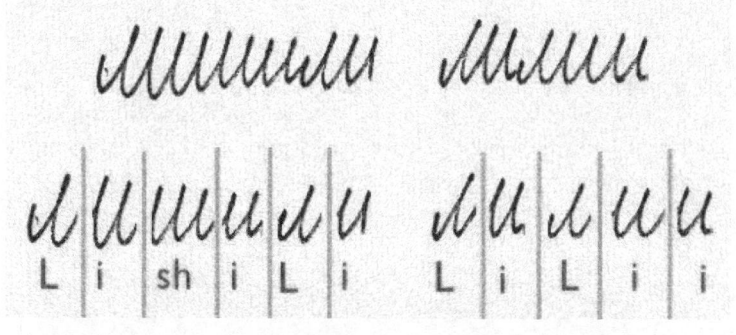

A leitura de algumas combinações de letras pode ser bem confusa

No início do século XVIII, no governo de Pedro, o Grande, as formas das letras foram simplificadas e regularizadas, descartando-se algumas que se relacionavam mais com o grego. Outras letras desnecessárias foram eliminadas em 1918, deixando o "alfabeto russo" como é hoje.

Com a adesão da Bulgária à União Europeia em 1º de janeiro de 2007, o cirílico tornou-se a terceira escrita oficial da União Europeia, depois do latim e do grego. Em 2019, cerca de 250 milhões de pessoas na Eurásia o utilizavam como o alfabeto oficial para suas línguas nacionais, com a Rússia respondendo por cerca de metade delas.

BIBLIOGRAFIA

AFANASYEV, Alexander. *Russian Folk Tales* (Русские народные сказки). The Planet, 2012.

_____. *The Tale of Tsarevich Ivan, the Firebird, and the Grey Wolf*. The Planet, 2017.

_____. *Vassilíssa the Beautiful and Baba Yaga*. The Planet, 2017.

RUSSIAN FAIRY TALES, FOLK TALES AND FABLES. Fairy Talez. Disponível em: <https://fairytalez.com/region/russian>. Acesso em nov. de 2020.

RUSSKIE NARODNYE SKAZKI. Mishka Knizhka. Disponível em: <https://mishka-knizhka.ru/russkie-narodnye-skazki>. Acesso em nov. de 2020.

INFORMAÇÕES SOBRE NOSSAS PUBLICAÇÕES
E ÚLTIMOS LANÇAMENTOS

instagram.com/pandorgaeditora

facebook.com/editorapandorga

editorapandorga.com.br